Peter de Zwaan

Kelly's 30.000

2008

DE BEZIGE BIJ

AMSTERDAM

Cargo is een imprint van uitgeverij De Bezige Bij, Amsterdam

Copyright © 2008 Peter de Zwaan
Omslagontwerp Studio Jan de Boer
Omslagillustratie Larry Mulvehille/Corbis
Foto auteur Bob Bronshoff
Vormgeving binnenwerk Peter Verwey, Heemstede
Druk Bariet, Ruinen
ISBN 978 90 234 2888 6
NUR 305

www.uitgeverijcargo.nl
www.peterdezwaan.nl

1

'Ik werk dit keer voor mezelf,' zei Rockne Paradise en hij zag het gezicht van Henry Faulk betrekken.

'Wat, shiehit...' Faulk was zwart, blind en structureel ontevreden. Rockne had daar begrip voor, hij zou ook ontevreden zijn als hij zwart was en blind, en als hij een tong bezat die na een operatie moeilijk bestuurbaar was geworden. '...moet je dan hier?' zei Faulk.

'Ik ben hier omdat ik verdomme geen verdomde detective ben, ik ben huurmoordenaar, ik ben niet gewend ze eerst te zoeken. Daarom.' Rockne slikte de derde vloek weg. 'Ik zoek een vent.'

'Vvent. Man? Jongen? Waar heb je het over?'

'Over Kelly, ze heeft geld gegeven aan een vent. Dertigduizend. Mijn geld. Voor aandelen... Niet eens aandelen, maar waardepapieren, voor het geval je het verschil weet. Certificaten.'

Faulk zei: 'Mmmm,' en beet op de punt van zijn tong. Een straaltje kwijl liep uit een mondhoek.

Rockne volgde het tot het op Faulks shirt was gedropen, zuchtte en pakte een vel papier. 'Waardepapieren van Orion Sources. Het gaat over een mijn in Suriname. Goudmijn.'

'Sssuriname?'

'Ik heb het nagekeken. Landje in Zuid-Amerika. Is van iets in Europa geweest. Antwerpen of zo.'

'Daar hebben ze diamanten, wat moeten zze met goud?'

Rockne snoof. 'Ik heb het opgezocht, maar ik ben het vergeten. Er is een land in Europa dat Suriname had. Kan Kopenhagen zijn geweest.'

'Is dat land Sussuri, ssshit, name nou kwijt?'

'Net als Kelly haar geld. Mijn geld.'

'Je wilt het terug.'

'Kelly ook. Ze is zwanger, en denk maar niet dat het een lolletje is. Ze doet rare dingen, de laatste tijd.'

'Cccertificaten kopen.'

'Als je dat maar weet. En midden in de nacht opstaan omdat ze winden moet laten. Ik zeg: "Wat kan het jou verdommen waar je ze laat waaien, blijf toch liggen." Dat wil ze niet. Ze stapt kreunend uit bed, maar altijd te laat. Ik kan de weg naar de badkamer ruiken, tegenwoordig. Midden in de nacht begint ze over haar dertigduizend dollar, ik word er mesjokke van. Ik wil het terug.'

'Wat moet je met nog een kind? Ik dacht dat je Harold en Jeff ggenoeg vond.'

Rockne vroeg zich af waarom hij moest blozen, wat had dat voor zin als je tegenover een blinde zat? 'Meer dan genoeg, maar Kelly niet, vraag me niet waarom. Ik heb de boot een hele tijd af kunnen houden, maar je weet hoe het gaat als je weken bent weggeweest.' Hij wreef over zijn gezicht toen Faulk gromde. Faulk was vrijgezel en ging nooit weg. 'Nou ja, bij mij, ons, is het dan even heftig. Ze werd zwanger en ze zei: "Drie is geen straf." Zeg daar maar eens wat op.'

'En nou wil je een vvent.'

'Van in de dertig. Ik kan je een beschrijving geven als het moet, maar volgens mij zijn er een miljoen zoals hij. Zijn linkerneusgat is wijder dan zijn rechter.'

'Zzzei Kelly.'

'Zei ze. En hij draagt dasspelden van goud, dat zie je niet vaak meer. Een meter zestig lang, iets te dik, maar niet veel. Een rood oog en een blauw.'

Terwijl hij wachtte op een reactie, keek Rockne naar het raam dat was dichtgemetseld, naar een nieuw straaltje kwijl, naar het wiegende lichaam van Faulk, naar iets in het verleden toen hij vrijgezel was.

'Je wilt dat ik je help,' zei Faulk na twee minuten.

'Heb ik niks tegen,' zei Rockne.

Een nieuwe stilte. Faulk was goed in stiltes. Hij hield ervan. Rockne durfde te zweren dat het kwam doordat hij dan naar muziek luisterde. Geen muziek van een radio of van een bandje, maar muziek die in zijn hoofd zat en waar hij naar luisterde terwijl hij zijn bovenlichaam bewoog, soms ook zijn armen en handen, als een dirigent die de geluiden richting geeft.

'Hoe lang werk je nou voor me.' Er klonk geen vraagteken achter de zin, het klonk niet eens als een vraag, meer als losse woorden die een gat maakten in een stilte van bijna vijf minuten.

Rockne nam de tijd voor een antwoord. Het juiste was: geen seconde, maar dat zeggen had geen zin. Faulks sterke punten waren zijn uitstekende geheugen, zijn vermogen om te luisteren en zijn afkeer van de politie. Deze laatste karaktertrek maakte hem geliefd bij mensen die zich het best voelen in een wereld zonder politie, en voor hij dertig was gold Faulk als de beste middelman van de oostkust. Geen enkele tussenpersoon was betrouwbaarder. Je kon Faulk een opdracht geven, een geheim vertellen, een plan laten uitwerken, specialisten bijeen laten brengen of een moord laten voorbereiden zonder dat hij je zou beduvelen. Hij vroeg tien procent van het totale bedrag dat met een activiteit was gemoeid en hij werd niet kwaad als je te weinig betaalde, hij zorgde er alleen voor dat de volgende opdracht misliep.

Rockne Paradise behoorde tot de weinige bezoekers voor wie Faulk een zwak had. Daarvoor waren twee redenen. De eerste was dat Paradise de achtste man was geweest voor wie Faulk als middelman een opdracht had geregeld, en de enige van de eerste tien die nog in leven was. De tweede reden was dat ze allebei waren opgegroeid in een arme buurt in een arme wijk in een grote stad en dat ze weinig woorden nodig hadden om elkaar te begrijpen. Hun paden hadden elkaar gekruist toen Faulk, een jaar voor hij algemeen als middelman werd geaccepteerd, in Baltimore verbleef. Hij was benaderd door een man die zei dat hij bijna twintig was, dat hij wilde trouwen en dat hij geld nodig had. 'Maakt niet uit wat ik ervoor moet doen'. Faulk herinnerde zich de zin nog precies: 'Maakt niet uit wat ik ervoor moet doen'. Hij vond het een mooie zin, vooral omdat de man erbij had gestotterd, niet door verlegenheid, maar door ambitie. De naam van de man had hij niet onthouden. Namen onthouden had geen zin als je er geen gezicht bij kon zien. Hij had de man bij twee onbelangrijke klusjes aanwezig laten zijn en hem daarna ingeschakeld bij een serieus karwei: een overval op een geldauto in Trenton. De overval werd een mislukking, maar net geen drama, omdat de man twee getuigen neerschoot en daarna op zijn gemak wegliep. Faulk had hem elfduizend dollar laten brengen en was de zaak vergeten tot hij iemand die zich Rockne Paradise noemde voor zich had, over wie een opdrachtgever zei dat hij klaar was voor het grote werk. Faulk herkende de stem en maakte een opmerking over Trenton, waarna Rockne 'nooit geweest' zei en langer zweeg dan een bezoeker ooit eerder had gedaan. Ze hadden bijna drie kwartier tegenover elkaar gezeten, Faulk wiegend met het bovenlichaam, Rockne ineengezakt starend naar een vlekje op de muur. Faulk had het eerst gesproken. Hij zei 'Wat' toen Rockne met een schoen tegen de stoelpoot tikte, waarop Rockne zei: 'Als je je mond wilt houden, goed, maar zit dan wel een beetje stil.'

Faulk had bijna gelachen en hem vervolgens een opdracht gegeven. Daarna nog een, een grotere, daarna een opdracht die andere huurmoordenaars niet was gelukt.

Rockne was elke keer teruggekomen om naar nieuwe opdrachten te vragen. Omdat hij geld nodig had voor Kelly, die steeds wilde verhuizen, omdat hij aan zijn oude dag dacht, omdat hij misschien wel iets anders kon maar niets anders wilde.

Maar dat maakte Faulk geen baas, niet in Rocknes ogen. Hij was een doorgeefluik van verzoeken op het gebied van intermenselijke relaties. Zo had Faulk het gezegd in het eerste serieuze gesprek dat hij met Rockne had gevoerd: intermenselijke relaties. Hij had erbij geslist, Rockne had druppels over het bureau zien vliegen.

'Mijn werk is te zorgen dat er aan die relaties een einde komt. Ik ben de man die zegt wat de opdrachtgever wil, jij bent degene die het veldwerk doet. Snel als het kan, geruisloos, efficiënt. Als je blundert ken ik je niet, nooit van gehoord, nooit gezien.' Hij had erbij gelachen, voor het eerst en het laatst voluit, terwijl hij tegen zijn bril tikte. 'Nooit gezien, snap je.'

Aan dat soort dingen dacht Rockne terwijl de minuten verstreken. Aan het verleden, aan Faulk, aan dat hij mensen had horen zeggen dat hij een kouwe was en dat hij nooit had begrepen wat ze bedoelden. Niet echt begrepen. Hoezo kouwe? Hij deed gewoon zijn werk, zo was hij opgevoed in zijn geboorteplaats Baltimore, in de wijk waar iedereen zijn best deed om te overleven. Na de dood van zijn vader toen hij tien was ging hij van oom tot oom, allemaal van vaderskant. Als puber werkte hij voor oom Ty, die een slopersbedrijf had (Paradise Works), daarna voor oom Artie, die aan leningen (Paradise Loans) deed, en vanaf zijn achttiende voor oom Matt, die een incassobedrijf bezat (Paradise Repo). Van oom Artie leerde hij dat hij nooit moest lenen. 'Niet doen, dan heb je geen last van mensen als oom Matt.'

Het was een mannenwereld, en tot Rockne Kelly leerde kennen was hij zich van het bestaan van vrouwen nauwelijks bewust geweest. Zijn moeder overleed toen hij twee was aan een ziekte waar zijn vader nooit over wilde spreken, evenmin als zijn ooms. De tantes met wie hij te maken kreeg waren stille vrouwen die eten maakten, de was deden en na elke persoonlijke vraag 'vraag maar aan je oom' zeiden, waarna ze zwegen en de andere kant op keken. Rockne had het zwijgen overgenomen en het tot een manier van leven gemaakt: zwijgen en niet laten merken wat je dacht. Het tonen van emoties werd de kop ingedrukt. Zijn ooms hadden niet gehuild toen zijn vader was neergestoken op een plaats waar hij niet hoorde te zijn, en Rockne evenmin. In het huis van de ooms werd niet gejankt, ook niet door de tantes. Als ze het al deden, dan was het buiten het bereik van mannen. Je zeurde niet, je deed wat je moest doen. Ging het fout, dan had je stom gedaan, ging het goed, dan was er geen reden om er een woord aan te verspillen, goed was goed. Daarom had Rockne geschoten toen het misging met de overval in Trenton, omdat hij zag dat schieten goed was. Er sprongen mannen uit de auto die hun wapens richtten. Als je niet beschoten wilde worden, moest je zelf schieten. Het enige wat hij vreemd vond was dat hij de enige was die schoot. De twee mannen die bij hem waren, lagen na het eerste schot plat op het wegdek met het gezicht naar beneden.

'Twintig jaar,' zei hij toen Faulk het wiegen afwisselde met schuiven op zijn stoel. 'Iets meer misschien.'

'Bijna tweeëntwintig. Je bent de enige die nog in leven is van de eerste tien met wie ik zzaken deed.'

Zaken. Ook zo'n woord. Rockne had het nooit als zaken gezien. Evenmin als hobby. Hij deed gewoon waar hij goed in was, iemand neerschieten van een paar honderd meter afstand, een ravijn in laten rijden, elektrocuteren in een bad. Hij had gewerkt met een vioolsnaar, met een mes, met pillen die verdoofden, met een plastic zak die zorgde voor verstikking. Het maakte hem niet uit hoe hij zijn werk deed, als het maar niet elke keer hetzelfde was. Het maakte hem ook niet uit hoe zijn beroep werd genoemd. Huurmoordenaar was best, uitvoerder was prima, klusjesman, probleemoplosser, het was hem om het even.

Als hij zijn onkosten maar kon declareren en als hij maar werd betaald, meteen na afloop en via een bankrekening op de Cayman eilanden of de Bahama's, Aruba mocht ook.

Geld was zijn zwakke punt. Hij wilde het hebben, en niemand nam het hem af. Zolang hij werkte leefde hij sober, maar ooit zou hij ophouden. Het was zijn enige droom. Ooit zou de jongen uit de achterbuurt van Baltimore in een groot huis wonen op een heuvel in Nassau, in Acapulco, op Barbados, en zou hij uitkijken over water en niets uitvoeren.

'Uhuh,' zei hij. Negen van de tien dood, hij zat er niet mee.

'Jij bent... hoe oud?'

Ook zoiets, leeftijd, wat was er toch met ouder worden? Het gebeurde, meer viel er niet over te zeggen. Als hij echt wilde weten hoe oud hij was, dan moest hij rekenen, of het aan Kelly vragen. 'In de buurt van de veertig. Geen leeftijd om belazerd te worden door een vent met een goudmijn. Ook niet indirect, via Kelly. Ik word niet gepakt door de politie en niet belazerd door een vent met twee verschillende ogen.'

'Niet gepakt,' zei Faulk. 'Omdat je niet houdt van vasste patronen.' Hij sliste nauwelijks, er klonk geen enkele dubbele w, en maar een enkele dubbele s of z. Rockne vroeg zich voor de zoveelste keer af hoe erg het was geweest met die tumor van Faulk. 'Je zzoekt je doel, je bekijkt de zaak, je doet je werk, je komt terug.' Faulk liet een soort hik horen. 'Niet meteen. Je komt nooit meteen terug. Je maakt een omweg om de onkostenpost op te drijven. Zzz... zo werk je.'

'Ja,' zei Rockne.

'Je bent onzichtbaar.'

Rockne knikte, bromde iets om Faulk te laten merken dat hij hem had verstaan. Hij was onzichtbaar, zijn hele leven geweest. Precies het goede postuur om niet op te vallen, iets te klein, iets te dik, niemand had ooit meer over hem weten te vertellen.

'Een detective is zzichtbaar,' zei Faulk. 'Waarom wil jij verdomme zzi... zichtbaar zzijn?'

Omdat iemand mijn geld heeft, daarom. Omdat ik de pest in heb. Omdat ik voor het geld dat Kelly is kwijtgeraakt twee mensen heb moeten neerschieten; negen dagen op mijn buik heb gelegen in een stuk woestijn buiten Scottsdale, tussen de cactussen en de hagedissen in een gebied met ratelslangen.

'Het zal me wel lukken.'

'Als je de vvent vvvindt, wat dan?'

'Dan vraag ik mijn geld terug. Hij geeft het en klaar zijn we. Ik wil alleen een beetje hulp.'

'Mmm,' zei Faulk en hij zakte terug in zijn stoel.

'Jij weet nergens van.'

'Mmm.'

'Net als altijd.'

'Net als altijd,' zei Faulk. 'Geef dat sstuk papier waar je de hele tijd mee zit te kraken aan Doris. Misschien kan zzze er iets mee.'

Doris had jaren voor Faulk gewerkt, tot Moto kwam. Soms viel ze in en dan zag ze er precies zo uit als de eerste keer, helemaal zoals Rockne zich een verpleegster voorstelde, lang, mager, sterke handen en een gezicht vol lijnen, die allemaal verdiend waren. Wie Faulk wilde spreken moest langs Doris en dat viel niet mee. Ze had Faulks humeur overgenomen, dat wist Rockne zeker. De eerste keer dat hij haar zag had ze geglimlacht, maar dat deed ze allang niet meer, het ontbrak er maar aan dat ze sliste en achter haar bureau zat te wiegen alsof ze Ray Charles was.

'Het is de moeite niet dat je me dat papier geeft,' zei ze. 'Over een paar dagen is Masayuki Enomoto terug. Het is maar dat je het weet.'

'Was-ie ziek?'

Doris deed iets met de spieren in haar gezicht. Het was geen glimlach, maar het was een poging. 'Iemand sloeg voor hij kon schieten.'

Moto was een Japanner die zich vastklampte aan het beeld dat westerlingen hadden van gedrongen Japanners met een laag eelt op de handen. Zolang hij eelt had, zouden ze denken dat hij aan karate deed en zou niemand hem slaan, dat was zijn filosofie. Zelf sloeg hij ook nooit, hij had er een hekel aan zich pijn te doen. Hij zwoer bij de kracht van zijn 9 mm Colt Mustang.

'Sloeg hem? Moto?'

'Ik geloofde ook niet dat het mogelijk was. In de binnenstad, 's avonds. Geen idee hoe het zat, hij praat er niet over.'

'Hoe lang is hij weg?'

Doris keek tevreden. 'Lang genoeg om weer greep op de zaak te krijgen. Dik drie weken. Het gaat beter met hem en hij komt terug. Met mij gaat het ook prima, fijn dat je het vraagt.'

'Ja,' zei Rockne. 'Faulk zei dat je me kon helpen.' Hij liet het papier zien. 'Kelly is opgelicht voor dertigduizend dollar en ik ben op zoek naar die vent.'

De lijnen langs de mondhoeken werden iets minder diep. 'Hoe lang nog?'

Met Faulk was het probleem dat hij te lange stiltes liet vallen, met Doris dat ze soms te snel ging. 'Hoezo lang? Zoeken naar die vent?'

'Kelly. De baby. Hoe lang nog?'

Shit, dacht Rockne, ik zou het niet weten. 'Vier maanden.'

Doris bewoog haar mond. 'Dan heeft ze dus een zwangerschap van een maand of tien, elf. Ik bedoelde: hoeveel weken.' Ze deed een greep naar het papier. 'Het is dat het om Kelly gaat... Goud in het Brokopondo-district, waar kreken in het Blommenstein-reservoir stromen? Goud? Hoe vaak ben jij thuis geweest het afgelopen halfjaar?'

Te weinig. Hij had gewerkt in Arizona, Oregon en Oklahoma, klussen die te lang hadden geduurd en zoals altijd had hij na afloop een omweg gemaakt om de onkosten op te voeren. 'Hoe vaak denk je? Jij hebt de declaraties.' Motels, auto's, treinkaart-jes, hij vergat nooit iets. 'Oklahoma was moeilijker dan je zei dat het zou zijn.'

'Dan Faulk zei. Ik zeg niks.'

'Jij namens Faulk zei. Wat is er mis met goud?'

'Dat het er niet is, dat is er mis mee. Ik snap niet dat Kelly...' Ze keek opnieuw naar het papier. 'Met een stempel van Reno, dus daar hoef je niet te zoeken.'

'De vraag is waar wel. Faulk dacht dat jij een idee had.'

'Kwam die vent aan de deur?'

'Kelly zegt van wel. Drie keer in een week. We zijn aan het verhuizen. Naar het water. Kelly wil een huis met uitzicht over

Chesapeake Bay. Ze dacht eerst dat het iemand van het verhuis-
bedrijf was.' Hij zweeg. 'Ze is zichzelf niet, de laatste tijd.'

'Is die man ook bij de buren geweest?'

Rockne knikte. 'Kelly dacht van wel.'

'Hoe ziet-ie er uit?'

'Een meter zestig, iets te dik, met een rood oog en een blauw.'

'Auto?'

Rockne grijnsde. 'Een grijze. Dat wist Kelly zeker, grijs. Kun
je er iets mee?'

Doris liep naar de deur en trok hem open. 'Bel morgen maar,
je weet nooit. Ik doe het voor Kelly, niet voor jou.'

'Mij best,' zei Rockne. 'Als je het maar doet.' Bij de voordeur
vroeg hij: 'Waarom zeg je niet tegen Faulk dat je wilt blijven en
dat hij Moto moet afdanken?'

Doris wees naar haar buik. 'Net als Kelly. Derde maand. Goed
van je dat je het zag. Wens haar sterkte.'

'Vertel nou nog eens hoe het precies ging,' zei Rockne. 'Die vent
kwam aan de deur en je deed open omdat je dacht dat hij met
de verhuizing te maken had. Oké zover?'

Kelly's mond was een streep en Rockne besefte dat het even
zou duren voor hij antwoord zou krijgen. Hij zou een zwakke
plek moeten treffen, praten met Kelly leek de laatste tijd wat op
een kies boren, ooit raakte je een zenuw.

'Ik probeer het te begrijpen, snap je. Hij kwam aan de deur en
hij noemde een naam die je vergeten bent. Klopt?'

Wenkbrauwen omhoog ook nog, het werd uitkijken.

'Als ik hem wil vinden, dan moet ik alles van hem weten.
Dertigduizend, dat gooi je toch zeker niet weg?'

'Vinden? Jij hem vinden?'

Het kwam eruit met de bedoeling hem te raken en dat lukte.
Dat kon ze tegenwoordig, Kelly, intoneren. Rockne wist niet meer
van wie hij het woord had gehoord, maar hij had het onthouden
en opgezocht. Intoneren, hij had er de pest aan. En meteen die

mond weer naar een streep. Hij besloot dat hij het zou blijven proberen tot ze haar handen onder haar buik in elkaar zou vouwen en zou zuchten. Als het zover was, zou hij ervandoor gaan. Naar Philadelphia, of naar Washington DC. Washington State was beter, daar was een klus waar Faulk hem voor had gepolst.

'Niet kwaad worden,' zei hij. 'Ik heb iemand gesproken die me wil helpen, iemand die goed is in het opsporen van mensen.'

'Wie?'

Iets minder hard dan daarnet, ze zou er geen gat mee in een stenen muur boren, maar hij had nog steeds de neiging achteruit te springen.

'Iemand van de Fertilizer Company. Daar hebben ze vaker te maken met oplichters. Ik heb uitgelegd dat ik geld was kwijtgeraakt. Ik.' Hij wees naar zijn borst. 'Ik heb het niet over jou gehad, ik heb gezegd dat ik het was.'

Kelly's ogen werden zachter, iets. Ze kende de Fertilizer Company alleen van naam. Een bedrijf in Richmond waar Rockne voor zei te werken. Af en toe werd ze namens het bedrijf gebeld, dat regelde Henry Faulk. Er bestond een Fertilizer Company in Richmond, Rockne was er een keer gaan kijken. Het stonk er.

'En dan?' De handen gingen weg van de buik.

'Dan ga ik hem opzoeken, samen met iemand van het bedrijf. Vragen naar mijn geld, ons geld. Jouw. Jouw geld.'

Verpest, hij zag het meteen.

'Puh,' zei Kelly, en dat was het voor vandaag.

Rockne werd wakker toen Kelly naar de badkamer ging om te plassen. Dat deed ze vaak, plassen, en elke keer werd hij wakker. Hij had geleerd om te doen of hij sliep: diepe ademhaling, kleine snorkjes, weinig bewegingen.

Kelly liet een windje voor ze in bed stapte en Rockne hoorde haar zuchten, over haar buik strijken, langzaam op haar zij draaien. Hij wist dat ze lag te denken omdat ze dat een keer had verteld. 'Als ik wakker ben, dan denk ik. Over ons, meestal, en over hoe jij de baby zult vinden.' Zelf dacht hij er zelden over na, maar hij vroeg zich wel af hoe Kelly tegen het huwelijk aankeek. Als hij moest gokken zou hij zeggen: saai en vertrouwd, maar misschien was regelmaat beter. Kelly deed het huis en de kinderen, Rockne deed de rest van de wereld. Het was een duidelijke verdeling en Rockne was er tevreden mee. Kelly had een periode gehad waarin ze haar leven anders wilde. Dynamischer, dat woord had ze een keer gebruikt. Spannender. Rockne had pas begrepen wat ze bedoelde toen hij foto's kreeg die in opdracht van Faulk waren gemaakt. Kelly samen met een man die een kop groter was, slank, gebruind, een en al glimlach. Rockne had naar de foto's gekeken terwijl hij voor de spiegel stond: 1 meter 66 tegenover 1 meter 85, bleek rond gezicht tegenover stralend bruin, dunnend haar tegenover zwarte krullen, buikje tegenover spieren. Als hij Kelly was, had hij het ook wel geweten.

Hij was niet kwaad geworden, maar had de foto's in de la met Kelly's make-upspullen gelegd en in de dagen die volgden gedaan of hij haar ontwijkende blik niet opmerkte. Veel moeite had hij er niet voor hoeven doen. Nooit iets opmerken was een van Kelly's klachten.

Er kwamen geen nieuwe foto's en Kelly's dynamisch leven kwam niet meer ter sprake. De nadruk kwam te liggen op de kinderen en het verlangen naar een ander huis, hoe dichter bij Chesapeake Bay hoe beter.

De zwangerschap was een tegenvaller geweest, maar Rockne had besloten dat hij zich geen zorgen zou maken. Hij zag een duidelijke taakverdeling voor zich: een groot huis voor Kelly en zoveel mogelijk karweien voor hem. Het nieuwe huis aan de baai had hij twee keer gezien, op de dag waarop Kelly had gezegd dat ze het hebben wilde en op de dag waarop de papieren waren getekend. Het was groot en je kon water zien. Wat hem echt blij had gemaakt was dat de slaapkamers voor de kinderen zo ver van zijn kamer lagen dat hij ze niet zou kunnen horen.

Hij hield zijn adem in toen hij een deur hoorde en een dun

stemmetje dat iets klagelijks zei. Harold natuurlijk, altijd Harold.

Hij bleef roerloos liggen en zorgde ervoor dat zijn ademhaling niet veranderde toen Kelly een hand op zijn bil legde en vroeg: 'Ben je wakker?'

Hij sliep voor Kelly terug was.

'Ik wou helpen,' zei Kelly de volgende ochtend. 'De verhuizing kost veel en ik dacht: als ik nou ook eens wat verdien.' Ze keek verlegen of speelde dat ze verlegen keek, Rockne wist nooit wat het was. 'Snap je dat ik dat wil?'

Als Rockne íéts snapte, dan was het dat. Als ze het érgens over eens waren, dan was het over het nut van geld. Zakgeld, geld dat je verdiende met klusjes, met het doen van boodschappen voor de ooms, het wegbrengen van pakketjes, het doorgeven van mededelingen. 'Oom Ty zegt dat hij uw auto wil slopen.' 'Ome Artie wil morgen het geld hebben.' 'Ik moest van oom Matt zeggen dat hij morgen op bezoek komt.'

Het had lang geduurd voor Rockne de strekking van de boodschappen had begrepen en wist waarom mensen wit wegtrokken, begonnen te trillen, zinnen stotterden die hij niet verstond. Voor elke boodschap kreeg hij een kwartje, later een dollar, tien dollar toen hij oud genoeg was om gezag in zijn stem te leggen. Hij spaarde toen al voor een doel dat hij niet kon omschrijven, een doel dat Kelly bleek te heten, het enige meisje dat niet achteruitdeinsde als hij op haar afliep. De verkering raakte aan op de lagere school, ging uit toen het er naar uitzag dat Kelly naar highschool zou moeten, begon opnieuw toen ze toch ging werken. Ze hadden het voor het eerst gedaan, echt gedaan, met voor- en naspel, op de dag dat Kelly haar eerste loon had. Dertig dollar, verdiend in een slagerij. Die avond verzekerden ze elkaar dat ze rijk zouden worden. Voor zover Rockne zich herinnerde was 'houden van' nauwelijks aan de orde geweest. Geld wel. Kelly had in de richting van Chesapeake Bay gewezen. 'Daar gaan we wonen, Rockne Paradise. Aan het water. In een groot huis.'

Het huis waar ze naartoe gingen had uitzicht op de baai, het volgende huis zou aan de oever moeten staan. Kelly had daar geen misverstand over laten bestaan, het was gewoon een kwestie van tijd, en van sparen. Ze wilde er een tennisbaan achter, omdat Harold nodig aan sport moest doen, net als Jeff, en straks de kleine meid. Dat het een meisje zou worden stond voor Kelly vast, de voortekenen wezen erop en bovendien had ze al een naam, al wilde ze die niet zeggen.

'Ja,' zei Rockne, 'dat snap ik heel goed, dat jij geld wilt verdienen.' Hij telde langzaam tot tien, en terug. 'Waarom moest dat met aandelen in een goudmijn?'

'Waardepapieren, zo heet het officieel, certificaten. Hij, de man met die ogen, zei dat ik binnen drie maanden minstens vijfduizend zou hebben. Bonus. Of rente, ik weet niet meer precies hoe hij het noemde. Hij zou zorgen dat het op mijn rekening kwam. Vijfduizend. In drie maanden. Gewoon op de bank blijven zitten, zo zei hij het. Op de bank zitten en je geld laten groeien.'

Rockne keek naar de bank. Hij wist zeker dat de verkoper erop had gezeten toen hij het zei. Met zijn kont op Rocknes bank. 'Weet je zijn naam al?'

'Mac,' zei ze. 'Vannacht schoot het me te binnen. Mac en dan nog een Mac aan zijn achternaam.'

'Mac Mac?'

'Mac Macnogwat, zo'n Schotse naam. Of Iers, dat onthou ik nooit.'

'Hij gaf je geen kaartje?'

Kelly zuchtte. 'Hij gaf wel iets, maar ik ben het kwijt. Ze liepen in en uit, die dag. Twee keer kwamen ze van de verhuizing. Kijken en zo. De buurvrouw kwam en de postbode omdat de deur openstond, en iemand die vroeg of ik nog spullen had die weg moesten, en ik moest spugen omdat ik iets had gegeten wat, nou ja, je weet wel.'

Rockne had geen idee.

'Marge vroeg nog of ze de dokter moest bellen,' zei Kelly terwijl ze haar handen tegen haar buik drukte.

'Marge?'

'De buurvrouw, hoe vaak moet ik dat eigenlijk zeggen?'

Marge, klein, paars haar, priemende ogen die altijd over haar bril keken, lippen vol botox. 'Die.'

'Die, ja. Denk je dat ik tijd had om op kaartjes te letten? Hij gaf er een, maar toen hij weg was kon ik het niet meer vinden.'

'Een dag later kwam-ie terug, en daarna nog een keer. Met een blauw oog en een rood oog.'

'Pupillen, dat heb ik al gezegd. Zijn ogen waren gewoon, maar zijn pupillen waren verschillend van kleur.'

'Net als zijn neusgaten. Ook verschillend.'

'Was-ie mee geboren, zei hij. Mee gepest op school. Hij hoopte dat mijn kind, ons kind, dat dat helemaal goed zou zijn.'

'Hebben Harold en Jeff hem gezien?'

Ze schudde van nee. Ze waren de slimsten niet, die twee, maar ze wisten dat ze uit de buurt moesten blijven als Kelly het druk had.

'Hij kwam dus binnen en verkocht je aandelen van een goudmijn.'

'Certificaten. Hij gaf me eerst een folder, zo'n dure, met statistieken en cijfers...'

'Die je ook kwijt bent.' Hij zag het misgaan. 'Die ergens in een doos zit, bedoel ik, alleen weet je niet in welke.'

'Er zijn er meer dan veertig,' zei ze stijf. 'Ga maar lekker zoeken. Ik moet naar de keuken. Als de jongens straks thuiskomen, dan willen ze eten.'

Na de achtste doos stelde Rockne vast dat ze te veel bezaten. Te veel borden, te veel kopjes en schotels, te veel bestek, ze waren verdomme met hun vieren en voor zover hij wist at er nooit iemand mee. Na de vijftiende doos begon hij Kelly met nieuwe ogen te bekijken. Had het aanschaffen van zesenveertig vazen te maken met een hobby of met een verlangen naar een psychiater? In de volgende doos vond hij de folder en hij besloot de vazen te laten zitten tot na de bevalling.

Hij keek naar een paar foto's die niets voor hem betekenden. Mannen met helm starend naar klompjes steen met goudkleurige plekjes, een weegschaal met iets erop wat goud zou kunnen zijn en het onderschrift 'dagopbrengst 43 678 dollar', een statistiek met een lijn die naar de hemel schoot. Het was een kwestie van tijd voor het grote publiek Orion Resources ontdekt zou hebben. Stap nu in en word rijk.

Hij had zin om op de folder te spugen, als hij ooit behoefte had zijn kont met stug papier af te vegen, dan was het nu. Er moest iets mis zijn met Kelly, er was iets mis met iedereen die geld gaf aan een vent die Mac Macnogwat heette en beweerde dat in Suriname het goud voor het oprapen lag. In het Blommenstein-reservoir en in het district Brokopondo. Rockne wantrouwde de namen. Blommenstein, Brokopondo, als je érgens geen geld aan uitgaf...

Op de achterkant stond iets geschreven in het handschrift van Kelly. MacDou..., zoiets. Hij kon het handschrift van Kelly nooit lezen, te klein, met letters die deel van elkaar uitmaakten alsof ze papier moest sparen.

'MacDough,' zei Kelly. 'Zie je wel dat het er was? Ik dacht: Rockne vraagt vast naar zijn naam en daarom heb ik het opgeschreven.'

'Heb je niks van gezegd. Was je het vergeten?'

Kelly wees om zich heen. 'Alles heb ik in m'n eentje moeten inpakken, alles. Weet je aan hoeveel dingen je moet denken als je verhuist, als je zwanger bent, als je twee kinderen hebt waar je voor moet zorgen? In je eentje? Waarom denk je dat ik honderd keer aan je heb gevraagd of je vakantie wilde nemen?'

Ze had zelf het nummer van de Richmond Fertilizer Company gebeld dat Rockne haar op advies van Faulk had gegeven. Doris had opgenomen en Kelly verzekerd dat Rockne niet kon worden gemist. Hij stond op het punt promotie te maken, hij zou minstens vijfhonderd per maand meer gaan verdienen, misschien duizend. Een week later had Rockne twintig biljetten van vijftig voor Kelly in een waaiervorm gelegd. 'Daarom kan ik niet met vakantie, Kel. Koop hier maar iets van voor jezelf, of voor de inrichting van het nieuwe huis. Zo gauw ik op de afdeling helemaal ben ingewerkt, neem ik vakantie, oké? Zo gauw mogelijk.' Kelly had de biljetten bij elkaar geschoven, geteld, stuk voor stuk bekeken, weer in een waaier gelegd. 'Ik doe de verhuizing wel alleen, lukt best.'

'Mac MacDough,' zei Rockne en hij wist dat hij niet in de lach moest schieten, zelfs niet fronsen of zijn keel schrapen. Mac-PingPing. MacPegulanten. MacSlijkDerAarde, hou het maar op MacSlijk.

'Maakte hij nog een grapje over,' zei Kelly. 'Hij zei: "MacMoney was duidelijker geweest, want ik kom geld brengen."'

Niet schamper lachen, dacht Rockne. Niet doen. God, zorg dat ik geen geluid maak.

'Volgens Kelly heet hij MacDough,' zei Rockne en hij keek de andere kant op.

Doris perste haar lippen samen en schudde haar hoofd. 'Arme Kelly, ze moet het te kwaad hebben. Toen je het hoorde, begon je natuurlijk te lachen en te kijken of ze gek was.'

'Hij zei dat "Mac MacMoney" duidelijker was geweest en ik zei niet eens wat. Geen woord.'

'Ja ja.' Doris gaf hem de blik die hij kende van Kelly en hij vroeg zich af of zwangere vrouwen oefenden in kijken. Hij zei niets, hij vroeg niets, hij stond.

'Pak aan,' zei Doris. 'Ik heb het voor je opgetikt. Hij heeft in jouw deel van de stad gewerkt, en daarna in Philadelphia. Of ervoor, dat is niet duidelijk. Hij had een paar problemen in Philly en is vertrokken.'

'Ruzie?'

'Zoiets. Politiewerk, maar Faulk zei dat ik er niet te veel werk van moest maken. Hij zei dat het niets met ons te maken had.'

'Shit,' zei Rockne. 'Hij wil natuurlijk dat ik eerst dat karwei in Washington State doe.'

Doris haalde haar schouders op. 'Toen hij erover begon, had je beter niet kunnen zeggen dat hij dood kon vallen, daar houdt hij niet van.'

'Voor maar tienduizend kan iedereen doodvallen. Ik bedoelde hem niet, maar zijn opdrachtgever.'

Opnieuw een schouderbeweging van Doris. 'Als hij zijn dag niet heeft, dan kun je beter duidelijk zijn. Hij heeft veel pijn aan zijn tong, de laatste tijd. Dan is afgezeken worden niet de beste remedie.'

'Dus ik kan het verder zelf uitzoeken.'

Doris schudde van nee. 'Ik heb tussen de bedrijven door wat werk gedaan.' Scherpe blik. 'Voor Kelly, dus. Ik kwam terecht in Florida.' Nieuwe blik. 'Het heeft moeite gekost en ik moest Faulk vragen of ik een paar mensen mocht bellen die ik liever niet bel.'

'Baasjes?'

'Zoiets. Wel eens op Key Largo geweest?'

'Over gereden toen ik werk te doen had in Marathon.'

'"Ga er maar kijken." Dat zei Faulk toen ik uitgebeld was. Eerst zei hij,' ze maakte een gebaar, 'laat maar, doet er niet toe. Nadat ik had uitgelegd hoe Kelly zich moest voelen, zei hij: "Kun je hem uitleggen dat hij geen detective is?"' Ze boog zich naar voren. 'Weet je dat je geen aanleg hebt voor detective, Rockne Paradise? Je hebt aanleg voor het werk dat je doet. Onzichtbaar blijven, kijken, toeslaan, wegwezen.'

'Ik kijk rond,' zei Rockne. 'Als ik hem vind, vraag ik mijn geld terug.'

'Dan zegt hij dat je moet opduvelen.'

'Nee,' zei Rockne. 'Ik denk dat hij dat niet zegt.'

Hij beantwoordde de blik van Doris en probeerde er kracht

in te leggen. Hij had geen idee wat MacMac zou doen, maar daarover piekeren had geen zin. Piekeren had nooit zin. Je had werk te doen en dat deed je. Zo had hij het geleerd, zo was zijn manier van leven. Het was altijd goed gegaan.

'Kijk maar eens rond op Key Largo,' zei Doris, die als eerste wegkeek. 'Je maakt een goede kans in Tavernier.'

'Is dat een plaats?'

'Ga maar kijken, als-ie er is, dan vind je hem, het is bij lange na geen stad. Ik heb tegen Faulk gezegd dat hij niet moest proberen je naar Washington State te laten gaan.'

Rockne keek scheef naar Doris, die keek of ze wilde bijten. 'Omdat?'

'Je bij Kelly hoort te zijn, daarom. Ik zei dat dat hoorde en Faulk zei: "Vast wel."'

Het was de ondertoon waardoor Rockne huiverde. 'Bedoel je wat ik denk dat je bedoelt?'

Doris deed iets waardoor haar hoektanden bloot kwamen. 'Kelly weet hoe MacDough eruitziet, dus...'

'Dus.'

'Veel plezier samen. Het is goed voor haar om er een poosje uit te gaan. Met die verhuizing komt het wel goed, zei Faulk.'

'Als ik die Mac zie, dan ga ik aan het werk, dat weet-ie, Faulk. Daar kan ik niemand bij gebruiken.'

De grijns van Doris werd breder. 'Ga je dat straks aan Faulk uitleggen? En daarna aan Kelly? Ik heb haar gebeld namens de Fertilizer Company. Ze houdt van dat bedrijf, zei ze. En van de vrouw die wordt gestuurd en die op de kinderen zal passen.'

Rockne deed een stap achteruit. 'Die vrouw ben jij?'

'Ik hou ook een oogje in het zeil bij de verhuizing. Faulk dacht dat ik dat wel leuk zou vinden, net als oppassen op de jongens. Hij ziet het als een leertijd voor me. Cursus kind, zei hij.'

'Jezis,' zei Rockne. 'Keristis nog aan toe.'

'Veel plezier,' zei Doris. 'Jammer dat Kelly niet meer in haar bikini past.'

2

Rockne kon zich niet herinneren wanneer hij een beroerdere reis had gemaakt. Eén keer, misschien, toen hij klein was en mee moest naar Peck Beach, voor de kust van New Jersey, waar de hele familie Paradise een huisje had gehuurd. Eén huisje, samen met ooms en tantes die te oude dochters en te jonge zoontjes hadden. Hij had gezworen nooit meer op het eiland te komen en als het even kon ook nooit meer op een strand. Het was hem gelukt, tot nu toe, maar hij wist dat het niet blijvend was toen Kelly zei dat ze een zwembroek voor hem had gekocht en zonnecrème met factor 24.

Hij was gewend om met de trein te reizen, maar Kelly wilde vliegen naar Miami en vandaar met een auto, een compacte, want ze gingen toch alleen maar naar het hotel en naar het strand dat ernaast lag, waarom zou je geld verspillen aan een auto die groot is en voornamelijk stilstaat.

Hij zei: 'Goed,' en had al spijt voor hij de koffers in de driedeurs Geo Metro had gewrongen. De airco kon de warmte niet aan en hij zweette zich over de drukke Highway 1, die veel te vaak eenbaans was, naar Key Largo.

Het Budget Motor-motel lag niet in Tavernier, maar in Rock Harbor, naast een kampeerterrein dat halfleeg was. Het werd voorjaar en de noorderlingen waren bezig hun overwinteringsplaats te verlaten. Rockne zag drie kampeerwagens het terrein af rollen. Hij keek naar de nummerplaten: Wyoming, Montana, Canada.

De receptioniste van het motel volgde zijn blik. 'Daar gaan ze, de *snowbirds*, terug naar huis. Over een paar weken komen de buitenlanders. Uit Europa en zo. Ze wachten tot het veertig graden is en komen dan klagen. Dat denk ik, dat ze klagen. Ze zeggen iets wat ik niet kan verstaan en dan kijken ze of ze Engels hebben gesproken.' Ze zuchtte. 'Wat kan ik voor je doen, liefje.'

Ze keek alleen naar Kelly, die iets uit haar portemonnee haalde. 'Van Doris,' fluisterde ze tegen Rockne terwijl ze een stukje papier gladstreek. 'Kortingsbon van de autoclub.'

Rockne staarde naar de drie A's en ademde diep maar onhoorbaar. Hij had de dertigduizend moeten laten schieten, hij wist het zeker.

De receptioniste streek de bon glad en glimlachte naar Kelly. 'Er nog even uit?'

'Voor het te warm wordt. Lekker samen.'

'En voor je...' De receptioniste knikte. 'Hoe lang nog, paar maanden?'

'Niets eens. Het kan nog net, samen op vakantie.'

'Leuk.' De receptioniste tikte op toetsen en keek naar de monitor. Haar lippen bewogen of ze wat ze las meeprevelde. 'Ik heb een kamer aan de zonkant voor je. Is dat een probleem?'

Ja, dacht Rockne, ja.

'Nee,' zei Kelly. 'Ik heb het niet gauw warm, snap je dat nou?'

De receptioniste zei dat ze het niet snapte. Drie zwangerschappen, en elke keer had ze het wel tien keer per dag benauwd gehad, als ze eraan dacht... 'Het is beneden, oké?'

Nee, dacht Rockne, alsjeblieft geen gestamp boven mijn hoofd.

'Prima,' zei Kelly. 'Beneden. Ik kan de trap bijna niet meer op of af.'

De receptioniste vuurde een glimlach op Rockne af die niets blijs had. 'Gelijk heb je. Ik zeg het maar, want,' ze dempte haar stem en boog zich naar Kelly, 'mannen willen vaak boven. Voor het geluid, en vaak zegt hun vrouw dan niks. Zelfs niet als ze zwanger zijn.'

'Mannen zijn nou eenmaal nooit zwanger,' zei Kelly.

'Als je dat maar weet, schat.'

Rockne zag ze naar elkaar kijken en huiverde. Het enige waar hij op mocht hopen was dat de kamer aan het einde van de rij zou zijn.

'Lekker vooraan,' zei Kelly terwijl ze naar de deur wees. 'Hoef ik niet zo ver te lopen als ik naar de eetzaal wil, of naar het winkeltje waar ze chocola hebben.'

Rockne keek naar de deur die was gebladderd, naar de plas water onder de airco, naar het verschoten gordijn. 'Ik had liever op de hoek gezeten.'

'Hoekkamers zijn voor gezinnen met kinderen, dat hoorde je toch. We zitten bijna op de hoek. Maak nou open.'

Rockne hanneste met de sleutelkaart en bezeerde zijn hand aan de deurkruk, die te weinig afstand had tot het blok metaal waar de kaart in moest. 'Godver.'

'Niet vloeken, Rockne. Het is vakantie.'

Dat was het woord dat hij vreesde. Vakantie. Hij was op Key Largo voor Mac MacDough, Kelly was er voor de vakantie. Hij haatte Doris. En Henry Faulk, die Doris op hem had losgelaten. 'Ja,' zei hij.

'Leuk,' zei Kelly terwijl ze hem wegduwde en naar binnen liep.

Rockne wist niet of ze de vakantie bedoelde of de kamer, maar hij was het in geen enkel opzicht met Kelly eens.

'Lekker,' zei Kelly.

'Mmmm,' zei Rockne. Hij vond 'mmm' een goede vervanger voor 'kloten', want hij wist dat Kelly daar kwaad om zou worden.

Ze lagen naast elkaar op een handdoek die te klein was. Hij in zijn zwembroek waarvan het elastiek pijn deed en een krap T-shirt, Kelly in een groene korte broek die niet dicht kon en een roze topje dat over haar buik naar boven was gekropen. Ze lag op haar rug met haar ogen gesloten, om de halve minuut grabbelde ze met een hand tot ze iets van Rockne voelde, zijn arm, zijn buik, heup, knie. Het wekte op Rockne de indruk dat ze zeker wilde weten dat hij er niet tussenuit kneep.

'Lekker samen.'

Rockne vroeg zich af of het in een rechtszaal stand zou houden als je uitlegde dat je de moord pas had gepleegd nadat je vrouw binnen een uur vijf keer 'leuk' en elf keer 'lekker' had gezegd. Leuk tegen de verschoten sprei over het bed, het stukje motelzeep in de te kleine badkamer, het uitzicht op drie door een orkaan onthoofde palmen, het zakje decafeïne waar net genoeg in zat voor één kopje, het miniatuurbeertje dat ze had meegenomen uit de kamer van Harold en op de tv had gezet. Lekker tegen de kamer met het behang vol verbleekte bloemen, het lauwe water uit de kraan, de opluchting na het uittrekken van haar schoenen, het uittrekken van haar jurk, het aantrekken van het topje, de lucht onder de galerij, de lucht net buiten de galerij, de lucht op het strand, de temperatuur van het zand, de groenblauwe zee waar hij een teen in moest steken, de handdoek waarop al zand lag voor hij zat.

Hij kon zich niet voorstellen dat een rechter er geen begrip voor zou hebben, al vreesde hij dat hij, met zijn geluk, een vrouwelijke rechter zou krijgen.

'Ja. Lekker.'

'Waarom doen we dit niet vaker?'

'Ik ben hier niet om de vakantie.'

'Vandaag wel, Rockne. Vandaag wel. En morgen. Eerst nemen we het ervan.'

Hij wilde 'kloten' zeggen, maar hield het op een zacht 'grr' en was trots op zijn zelfbeheersing.

Beschermingsfactor 24 bleek niet genoeg. Rockne voelde zich verbranden, en toen Kelly vroeg of hij niet stil kon liggen zei hij dat hij geen zin meer had.

'O,' zei Kelly.

'Ik ga aan het werk.'

'Vandaag niet, dat hadden we afgesproken.'

'We hebben helemaal niks afgesproken.'

'Weet je wat ik zou willen? Iets te drinken. Doe maar cola. Met ijs.'

'En iets te eten!' riep ze toen hij door het zand ploeterde. 'Sandwich of zo.'

Hij nam meteen een parasol mee, en een stoeltje. Hij moest drie keer heen en weer lopen, maar dat had hij ervoor over, bewegen was beter dan liggen.

'Lekker,' zei Kelly, die smakte voor ze het laatste stukje sandwich doorslikte. 'Zullen we teruggaan? Kunnen we iets van het eiland zien.'

'Ik dacht dat we een kleine auto moesten omdat we er toch niet in zouden rijden.'

'Waarom zeur je nou altijd zo? Nooit gaan we op vakantie, en als het een keer zover is, dan mopper je maar door.'

Rockne zag de tranen en sjouwde zonder commentaar heen en weer. Eerst Kelly en de handdoek, daarna de parasol en het papier van de sandwich, vervolgens het stoeltje en het colaglas. De buren waren in hun kamer. Rockne zag ze niet, maar hij hoorde drie kinderstemmen boven de televisie uit.

Om negen uur ging Kelly naar de buren om te praten over de kinderen. Een paar minuten later was het er stil, nog een minuut later verscheen een grote man die was gekleed in shorts en een shirt dat een bruine buik liet zien waar geen vet aan zat. Met zijn opgeschoren haar, een glad gezicht en een nek die zo kort was dat zijn hoofd rechtstreeks in zijn schouders leek over te gaan, zag hij eruit als een marinier. Hij vulde de deuropening, zowel in de lengte als de breedte.

'Art,' zei de man met een stem die lichter was dan Rockne had verwacht, vriendelijk, bijna zangerig. Hij wees met een stompe duim naar zijn borst: 'Art Flaming.'

Rockne zei: 'Rockne' en zag de duim zwenken.

'Jouw vrouw is daar, bij Donna en de kinderen. Ze kunnen

ons missen. Ze zeiden dat we een borrel moesten halen. Wat denk je ervan?'

Flaming had de beschikking over een Dodge RAM voor vijf personen met een airco die de hete lucht in tien tellen wegblies. Hij wist ook de weg naar de bar van de Ocean Point Suites aan Burton Drive, en toen ze naast elkaar op een kruk zaten en naar de palmen en een stuk oceaan keken die in schijnwerperlichten waren gezet, voelde Rockne zich opknappen.

'Reisleider,' zei Art. 'Dat doe ik elf maanden per jaar. Reizen leiden. Ik spreek Duits omdat ik daar twee jaar als sergeant heb gewoond en mijn tijd goed heb gebruikt.'

'Mariniers?'

'Wat anders? Ik spreek Nederlands omdat mijn vader daar vandaan komt en ik spreek Frans omdat ik dat heb geleerd via een cursus. Twintig woorden Frans, acht zinnen. Niemand die het merkt, want Fransen boeken nooit bij de organisatie waar ik voor werk. Ik woon officieel in Denver. Nou moet jij vragen waarom iemand die elf maanden van huis is in de twaalfde maand naar Key Largo gaat.'

'Waarom?'

'Omdat mijn vrouw dat leuk vindt, daarom. Vraag nou maar waarom ik in dat kolere-budgetmotel zit.'

'Waarom?'

'Omdat ze er volgend jaar toeristen in willen stoppen en ik de kamers moet testen, en de eetzaal, en de lobby, alles. Vroeger zaten we in het Marriott en het Hyatt, tegenwoordig in de Days Inn en het Budget Motor-motel, maar ik weet zeker dat het motel over een halfjaar een andere naam heeft. "Budget Motor" klinkt niet. Ze denken aan Tourist Motel of Europe Motel en gaan de hele zaak zo verven dat het weer ergens op lijkt. Ja hoor, het gaat heel goed in de toeristenindustrie, dank je.'

'Heb je het motel goedgekeurd?'

'Wat dacht je dan? Hoe ben jij er terechtgekomen?'

'Kelly heeft geboekt.'

Art knikte. 'Zo gaat het vaak. Ze is goed met kinderen, dat heeft ze net laten zien. Ik word gek van ze, waarom denk je dat ik reisleider blijf. Je eerste?'

'Hè?'

'Kind. Wordt het je eerste?'

'Derde. Ze wilde per se een derde. Het gaat een meisje worden, zegt ze, ze heeft de naam al.' Rockne zuchtte. 'Laten we hopen dat ze gelijk heeft, anders komt er nog een.'

'Sterkte ermee. Wij hebben drie jongens. Donna zegt dat vijf het maximum is, als er dan nog geen meisje is houden we op, zegt ze.' Art nam een slok. 'Houden wij op, hoor je het 'wij'? Ik zeg kallem aan, maar ik hou mijn hart vast. Ik ben niet vaak thuis, maar ik zweer je: het is geen dolle boel als ik in Denver ben. Het enige wat ik denk is: niet nummer vier, alsjeblieft God, niet nummer vier. Ze vindt me somber, Donna. Wat doe jij?'

'Vertegenwoordiger. Officieel heet het accountmanager, maar ik kan niet wennen aan die woorden. Richmond Fertilizer Company.'

'Kunstmest.' Art bestelde nieuwe whisky. 'En ik dacht dat ik een vreemd vak had. Het land in met kunstmest.'

'Machines, kleding, meer dan je denkt.'

'Sleep je dat mee zoals ik toeristen meesleep?'

'Alleen foto's,' zei Rockne. 'En folders, agenda's, balpennen en klokjes voor de relaties.'

'Samengevat: jij bent ook vaak van huis en je zit niet te wachten op vakantie op Key Largo, zie ik dat goed?'

Rockne hief zijn glas en knikte.

'Je hebt twee kinderen en je vindt het wel mooi zo.'

Rockne nam een slok.

'Aan je verbrande armen te zien hou je niet van zonnen.'

Nog een slok.

'Mijn Donna en jouw Kelly praten vanavond over kinderen en over in de zon op het strand zitten.'

Rockne maakte een gebaar naar de barman.

'Dat doen ze morgen ook.'

Rockne tikte met zijn glas tegen dat van Art.

'En overmorgen en de hele rest van de vakantie en ze vinden het geweldig.'

Een grote slok.

'Dus wat denk je er verdomme van om morgen iets te doen waar geen zon en vrouwen aan te pas komen?'

Rockne grijnsde.

'Mooi zo,' zei Art. 'Dan gaan we vissen. Op een motorboot, dan spannen we een zeil zodat we in de schaduw kunnen zitten. Vissen, drinken, en als we een boer moeten laten, dan laten we die. Oké?'

'Oké,' zei Rockne.

3

'Is vissen niet veel prettiger als je geen aas gebruikt?' vroeg Rockne.

Hij zat vastgegespt in een kuipje en keek naar een lange hengel, een veel langere lijn en lichtblauw water dat soms heldergroen was en zo doorschijnend dat het geen water leek maar gepoetst glas, waardoor je koraal kon zien en kleine vissen die alle kanten op schoten.

Art keek hem schuin aan, maar zei niks.

'Als je een vis vangt, krijg je vieze vingers. Daar gaat het bier raar van smaken.' Rockne trok aan de gordel die op zijn buik drukte, boog zich naar een flesje en bekeek het etiket. 'Amstel?'

'Dronk ik in Duitsland altijd. En in Amsterdam. Ken je Amsterdam?'

'Een stad?' vroeg Rockne.

'Laat maar,' zei Art. Hij rook aan zijn vingers. 'Je hebt gelijk, dit is geen lucht die aan bier moet komen.'

'Ik wil los zitten, geen riem om mijn buik.'

'Omdat het niet lekker drinkt?'

'Als je dat maar weet.'

Art maakte zijn riem los en nam een flinke slok. 'Verrek,' zei hij. 'Je hebt gelijk. Drinkt veel beter.'

'Ik hou niet van vis, ook nog,' zei Rockne. 'Als we wat vangen, moeten we het eten, vanavond. Dat zei Kelly.'

'Heeft ze afgesproken met Donna. Die twee liggen elkaar wel.' Art liet een boer. 'Als we er een moeten laten, dan laten we 'm. Zei ik dat gisteren niet?'

Rockne perste er ook een uit. 'Dat zei je. Hoe goed ken jij Tavernier?'

Er viel niets te kennen aan Tavernier. Dorpje op Key Largo. Paar duizend inwoners, hooguit vijfentwintighonderd. Duizenden Canadezen en Amerikanen uit het noorden als de winter begon, toeristen uit Europa als het te warm was om adem te halen.

'Hoezo?' vroeg Art toen hij had verteld wat hij wist.

De vraag zat eraan te komen en Rockne had tijd gehad om over het antwoord na te denken. Hij was niet op Key Largo voor zijn werk, hij was er om MacMac te vinden en geld terug te halen. Gewoon vragen of hij Kelly's dertigduizend terug kon krijgen. Geen dreigementen, geen toestanden. Zo zag hij het voor zich en hij dacht wel dat hij MacMac ervan kon overtuigen dat een rustige oplossing de beste was. Voor elke andere oplossing zou tijd nodig zijn. Hij had geen pistool bij zich, geen geweer, zelfs geen mes. Kelly hield niet van wapens en probeer maar niet er een mee te nemen als je met het vliegtuig gaat.

'Omdat ik een vent zoek,' zei hij. 'Hij noemt zich Mac Mac-Dough en hij verkoopt certificaten van goudmijnen.'

'Mac MacDough?'

'Ik noem 'm voor mezelf MacMac. Hij kwam bij Kelly toen ik er niet was. Ken jij een land dat Suriname heet?'

'MacDóúgh!'

'Hij maakte er een grapje over, zei Kelly. Dat MacMoney duidelijker was geweest, zoiets. Hij heeft twee verschillende ogen. Verschillende kleuren, bedoel ik, en zijn linkerneusgat is wijder dan zijn rechter.'

Art verslikte zich in de Amstel. 'Jezus. Ga jij neusgaten bekijken?'

'En ogen. Hij droeg een gouden dasspeld. Eind dertig. Ongeveer een meter zestig lang, dacht Kelly, en iets te dik.'

'Als jij een naam zou bedenken voor jezelf, zou je dan Mac-Dough nemen?'

'Misschien heet-ie echt zo.'

'Zou er niet op rekenen,' zei Art, die zijn keel schraapte. 'Voor hoeveel ging Kelly erin?'

31

'Dertigduizend.'

Art tikte met het blikje tegen zijn tanden. 'Zou ik ook terug willen hebben. Suriname is een land in Zuid-Amerika. Is van Nederland geweest. Ze hebben er mijnen, dat weet ik. Bauxiet of zo.'

'Goudmijnen?'

'Zou het niet weten. Dertig?'

'Ik wil het terug,' zei Rockne.

Art gooide zijn blikje in het water. 'Zou ik niet moeten doen, blikje gooien. Vertel ik altijd tegen de toeristen: gooi niks in het water. Wat doe je als je hem vindt?'

'Dan vraag ik het geld terug.'

Art keek of hij het gewicht van Rockne schatte, zijn lengte, zijn kracht. 'En als hij "val dood" zegt?'

'Dan hebben we een probleem.'

Art rekte zich uit. 'Ik weeg honderdtien kilo. Twintig te veel volgens Donna, maar ik zeg dat het meevalt voor iemand van een meter zesennegentig. Als ik es met je meeging?'

Rockne knikte. 'Vanavond, als het koeler is. Gewoon een beetje rondkijken.'

'Wat hebben jullie gedaan?' vroeg Kelly.

Rockne schoof zijn stoel naar de airco. De bak pruttelde en hijgde terwijl hij lucht uitblies die verkoeling gaf als je er met je kont op zat. 'Gevist, in het begin. Gedobberd vooral.'

'Gedronken, ruik ik.'

'Art had Amstel. Beter dan Coors of Miller.'

'Vast,' zei Kelly. 'Adem niet in mijn richting, ik word misselijk van luchtjes.' Ze keek of ze een verhaal te vertellen had, maar Rockne was er niet voor in de stemming. Hij had het benauwd en vroeg zich af waarom hij niet achter de snowbirds aan naar het noorden reed.

'Hoe heet denk je dat het is? Vijfendertig?'

'Veertig,' spotte Kelly. 'Vijfenveertig. Doe maar niet of je zielig bent. De airco is prima en buiten is het hooguit dertig. Net lekker. We hebben winkels gekeken.'

Daar kwam het verhaal. 'Ik dacht dat jullie naar het strand wilden.'

'Een poosje. Niet te lang, met die kleine van Donna, en ik kan niet op mijn buik liggen, dus mijn rug wordt toch niet bruin. Wil je zijn naam weten, van de kleinste?'

'Nee.'

'Als ik het niet dacht. Keefer mag niet te lang buiten in de zon, dat is niet goed. We zijn naar de Sunshine Supermarket geweest.'

'Geweldig.'

'In Tavernier.'

Het was de toon die Rockne alarmeerde. Kelly had iets te vertellen, maar ze wilde het nog even spannend houden. 'Echt waar?'

'We zijn met onze auto naar Tavernier gereden. Kijk niet zo gek, onze huurauto, de Metro.'

'Met z'n vijven?'

'Drie kinderen achterin, kan best. Vlak bij de supermarkt is een parkje aan het water. Atlantic Boulevard heet de straat, ge-loof ik. Vlak bij Albury Boulevard.'

Rockne prentte de namen in zijn geheugen. Ze hadden te ma-ken met het verhaal waar Kelly naartoe werkte, namen noemde ze niet voor niets.

'Je zat in dat parkje.'

'Lekker daar. Veel schaduw. Allemaal bomen en gras. Op het strand heeft Donna de hele ochtend zand uit de ogen van Wil-liam moeten vegen. Dat is de oudste, William.'

Joch met een schelle stem die korte metten maakte met de tussenmuur. Rockne had hem de vorige dag anderhalf uur ruzie horen maken. 'Uhuh.'

'Op het gras kon hij geen kwaad. Donna gaf hem cola en daarna nog eens cola, we hadden geen kind aan hem.'

'Kelly. Alsjeblieft.'

'Opeens zagen we een man. Een kleine, met een hoed, zo'n leren met vlechtwerk erin. Hij had een plastic zak bij zich waarin volgens mij kleren zaten. Ik denk dat hij naar de wasserette was geweest, want ik zag er een vlak bij het parkje. Hij ging tegen een boom zitten en schoof de hoed over zijn ogen. Ik wist niks zeker, maar...'

Spanningsopbouw. Het ging erom dat hij nu niet zei wat hij dacht. Hij moest meewerken. 'Ja' zeggen op een vragende toon, of: 'Bedoel je echt dat je...' Hij wist wat hij moest, maar hij zei niets. Zijn maag krampte en hij voelde druk op zijn borst.

'Ik vroeg aan Donna of ze me een plezier wilde doen. 'Ja,' zei ze en ik zei dat ze naar die man moest lopen. Langslopen en iets laten vallen, een kreetje geven, zoiets, en als hij dan keek naar zijn ogen kijken.'

Precies wat hij dacht. Zijn maagkrampen werden erger, in zijn hals klopte een ader.

'Weet je wat ze zei toen ze terugkwam?'

Hij wist het. Kolere-Faulk met zijn plan om Kelly mee te nemen. Pestpokken-Doris. Ze hadden het gedaan om hem te jennen, om hem in te peperen dat hij bezig was met iets wat buiten zijn terrein viel. Rockne de beunende detective.

'"Twee kleuren," zei Donna. "Rood en blauw." Maar het gekst vond ze de neusgaten. "Net of er eentje was opgerekt," zei ze. "Of uitgescheurd." Ze was bijna in de lach geschoten.'

Wegwezen. Terug naar Baltimore. Afschrijven, die dertigduizend. Niet meer over praten. 'En toen?'

'Niks,' zei Kelly. 'Niks. Na een tijdje pakte hij zijn zak en ging hij weg. Waarom zeg je nou niks? Hij woont in de buurt, want hij doet zijn was in de Coin Laundry vlakbij. Hij heeft me niet herkend, hoor, dat weet ik zeker. Ik ben niet in zijn buurt geweest. Ik dacht dat je blij zou zijn.'

Rockne ademde met zijn mond open. Blij. 'Ben ik ook,' zei hij.

Hij vroeg zich af wat ze verzweeg. En waarom.

'Kelly heeft MacMac gezien,' zei Rockne somber. 'In Tavernier, in een parkje. Ze heeft Donna naar zijn ogen laten kijken.'

Art Flaming stond wijdbeens voor een cola-automaat van het motel en sloeg ritmisch op de bovenkant. 'Vroe-ger deed ik dit op een boks-zak. Hier ga je ook van zwe-ten. Ik sla tot hij co-la geeft, zeg daar maar don-der op.' Hij keek tevreden toen hij gerommel hoorde. 'Dat zou ik verdomme ook zeggen. Mijn kwartjes opvreten, maar niks leveren. Weet je dat ik langzamer-hand precies weet waar ik moet slaan, en hoe lang? Dat vertelde ze al, Donna, dat zij en Kelly MacMac hadden gezien.'

'Reken maar dat hij nu ongeveer in New York is.'

Art schoot in de lach. 'Omdat ze hem niet subtiel genoeg be-naderd hebben?'

'Langslopen, iets laten vallen, naar zijn ogen staren.'

'En zijn neusgaten.'

'Subtiel. Wat zou jij doen als je mensen oplichtte met een goudmijn?'

'Poosje weggaan,' zei Art. 'Paar dagen naar Key West, of Mi-ami Beach. Donna en Kelly zijn toeristen, dat zie je zo. Toeristen blijven niet lang.'

'Dus?'

'Dus niks. Rustig blijven en afwachten. MacMac kent ons niet. Je weet niet wat hij doet. We gaan straks gewoon een stukje lopen. En een stukje drinken.'

Art maakte een gebaar naar zijn kraag.

Rockne waardeerde het dat hij de grap niet maakte.

Ze liepen langs de Sunshine Supermarket, over de Atlantic Boulevard, door het parkje aan de oceaan. Ze dronken koffie in de McDonald's Express naast het Hess-pompstation aan de hoofdweg, aten een stuk pizza in Pita Etc., keken naar vrouwen die wasgoed in en uit de Coin Laundry sjouwden. Art praatte over zijn beroep als reisleider, Rockne vertelde verhalen over het leven van een vertegenwoordiger; hij had er honderden gehoord en tientallen onthouden. Ze liepen, ze zweetten en ze keken rond. Rijen auto's van en naar Key West, twee fietsers, nul voetgangers.

'Biertje?' vroeg Art nadat ze hadden vastgesteld dat Tavernier weliswaar klein was, maar te groot voor wandelaars die niet van wandelen hielden.

'Graag,' zei Rockne.

In Denny's Latin Café namen ze er een. En nog een. Na de derde zei Art dat Miller Light bijna even goed smaakte als Amstel, als je er maar genoeg van dronk.

'Vertel mij wat,' zei Rockne, die zich afvroeg wat hij eigenlijk aan het doen was. Slapen in een derderangs motel, bier drinken met een man die hij een etmaal kende, door het raam kijken in de hoop dat er iemand langs zou komen die zich breeduit voor hem opstelde om zijn neusgaten te laten zien. Of zijn ogen. Rockne hoopte dat MacMac ook zijn gouden dasspeld zou dragen, het liefst een bord met zijn naam erop, hij had niet heel veel vertrouwen in Kelly's beschrijving.

Na zes rondjes gebeurde er iets waardoor Rockne moeite kreeg om zijn evenwicht te bewaren. De wereld leek te golven en in zijn oren suisde iets wat hij herkende van na zijn eerste verplichte radslag op school. Met zijn spreekvaardigheid was ook iets mis. Hij wist zeker dat hij woorden sprak, maar Art leek ze niet te horen. 'Wat?' vroeg Art. 'Zeg je nou wat, of doe je alsof?'

'Daar,' zei Rockne. 'Da... daar.'

Hij wees naar het achterwerk van Kelly, dat een Geo Metro in schoof.

'Shit,' zei Art.

'Ja,' zei Rockne.

Ze probeerden sneller op te staan dan de smalle banken toelieten en vielen terug. Een tweede poging was niet nodig. De Metro reed weg en verdween uit het zicht.

'Kolere,' zei Art.

'Als je dat maar weet,' zei Rockne. 'Ik denk dat ik weet wat Kelly voor me achterhield.'

'Omdat ik je wou verrassen,' zei Kelly opnieuw. 'Omdat ik dacht: als ik Rockne geld laat zien, dan begrijpt hij eindelijk dat ik lang niet zo stom ben geweest als hij denkt. Daarom.' Handen tegen de zijkanten van de buik, hoofd naar voren, grote ogen, felle blik. 'Dan kunnen we verder vakantie vieren en een deel van het geld opmaken dat,' nadruk, 'ik heb verdiend. Ik wil naar Key West en daar wil ik winkelen. Nu kan het nog. Straks,' snelle blik naar haar buik, 'heb ik wel wat anders te doen. Snap je het eindelijk?'

'Dus je bent teruggegaan naar dat park.'

'Naar het begín van het park, hoe vaak moet ik het je nog vertellen? Hij zei dat hij daar op me zou staan wachten.'

'Met geld.'

'Vijfduizend. Precies het bedrag dat ik na drie maanden zou hebben verdiend.'

'Als blijk van vertrouwen.'

'Dat zei hij. "Om te laten zien dat je me kunt vertrouwen," zo zei hij het.'

'Hij vond het niet gek dat je daar was. In een parkje in Tavernier, in de plaats waar hij woont.'

'Ik weet niet of hij er woont. Wij zaten in dat park, Donna en ik en de kinderen, en toen kwam hij.'

'Liep Donna naar hem toe zoals je vanmiddag vertelde, of was je het zelf?'

Ze keek verontwaardigd. 'Donna, precies zoals ik het heb verteld.'

'Daarna ben jij naar hem toe gegaan. Daar heb je niks over gezegd.'

'Ik heb gewacht tot hij wegging. Toen hij uit het zicht was, ben ik achter hem aan gelopen. Dat viel niet mee met zo'n buik, maar ik heb het gedaan. Ik heb tegen Donna gezegd dat ik water ging halen bij het pompstation, in dat McDonald's-ding. Ze weet niet dat ik MacDough gesproken heb.'

'Zei je dat tegen hem, MacDough?'

Kelly kwam een stapje dichterbij. Er blonk een licht in haar ogen waardoor Rockne de neiging had zich stijf tegen de muur te drukken. 'Zo noemt hij zichzelf, dus zo noem ik hem. Ik heb gezegd dat we op Key Largo op vakantie zijn, Donna en ik. Dat ik hem herkende en gedag wilde zeggen.'

'Waarna hij je vijfduizend dollar beloofde.'

'Ik zei dat ik uit Baltimore was weggegaan omdat wij, jij en ik, ruzie hadden gehad over die goudmijn. Dat jij niet geloofde dat ik ooit een cent zou zien, en toen zei hij: "We zullen je man eens verrassen."'

'Verrassen. Was dat het woord?'

'Ver-ras-sen. "Ik heb zoveel geld niet bij me," zei hij, "maar ik ga straks naar de bank en dan krijg je je deel. Over een paar weken zou ik het hebben overgemaakt, maar ik kan het je ook geven." De goudmijn loopt geweldig, dat zei hij ook. Veel beter dan verwacht. Ik had veel meer moeten inleggen. "Minstens nog twintigduizend," dat zei hij.'

'Heb je dat beloofd?'

Ze keek slim. 'Ik heb gezegd dat ik erover zou nadenken. Dat ik met jou zou praten als ik terug was in Baltimore, maar dat het zou helpen als ik alvast die vijfduizend had.'

'Die heb je niet.'

'Nee,' zei ze. 'Die heb ik niet. Als ik hem nog een keer zie, dan is hij niet klaar met me. Nog lang niet.'

'Ze bedoelde het goed,' zei Art sussend. Ze stonden naast de Dodge, klaar om naar Tavernier te rijden. 'Je moet er geen ruzie om maken. Nooit doen.'

'Dat valt goddomme niet mee.'

Art keek of hij er alles van begreep. 'Ik heb een oudere broer,' zei hij. 'Jeff. Een stuk ouder, achttien jaar. Toen Donna voor de eerste keer zwanger was hadden we ook altijd wat, en toen zei hij: "Denk je eens in dat jij ziek was, een rotziekte waar je beter van wordt, maar pas over driekwart jaar. Wat zou je dan willen dat Donna deed, chagrijnig kijken als jij je ergens over opwond? Donna is soms misselijk, soms onzeker, soms eterig, soms iets wat je van geen kant begrijpt. Weet je wat ik deed toen Janice zover was? Gelijk geven. Sussen. Rustig blijven. Je hebt geen idee hoe goed dat werkt.'"

'Sinds wanneer is zwanger zijn een ziekte? Zwanger is toch zeker leuk? Moet je eens kijken in de vrouwenbladen waar Kelly er elke maand vijftien van koopt.'

'Na de bevalling is het leuk; de zwangerschap, alles. Dat weet je toch, het is je eerste niet. Nou doet ze of het leuk is, geloof me maar. Sussen en rustig blijven.'

'Dertigduizend. Blijf jij daar rustig bij?'

'Je krijgt het niet terug als je haar kwaad maakt. Rustig blijven en daarna doen wat je wilt doen. Het werkte bij Donna en het werkt bij Kelly, let maar op.'

'Ja ja,' zei Rockne. Hij kon het niet opbrengen om Art gelijk te geven. 'Ze ziet hem, ze gaat naar hem toe, ze praat met hem en ze denkt dat hij haar geld gaat geven omdat haar man, omdat ík, heb gezegd dat ze nooit een cent zal zien. Ik wist wel dat ze iets achterhield, vanmiddag. Niks sussen. Ik had door moeten vragen.'

'Dan was ze waarschijnlijk gaan huilen. Dat deed Donna toen ze zwanger was. Als ik toch een keer kwaad werd, ging ze huilen. Dat werkt elke keer weer, jongen, hoe eerder je dat toegeeft hoe beter. Stappen we in of niet?'

Rockne trok het portier open. 'Wat moeten we anders?'

'Ik zou het niet weten,' zei Art. 'Een beetje rondlopen, goed kijken en bier drinken. Je weet nooit. Donna zei dat ze dacht dat hij met het wasgoed was komen lopen, waarom ze dat dacht wist ze niet. Een gevoel, zei ze.'

'Alsof iemand hier loopt in deze warmte. Ik weet ook wel dat

Kelly zou zijn gaan huilen, vanmiddag, daarom vroeg ik niks. Volgens mij zit MacMac al bijna in Canada. Ik hoop dat zijn ballen eraf vriezen.'

'Rondgelopen in Tavernier,' zei Rockne. Hij probeerde ontspannen te klinken, liefdevol. 'Je weet maar nooit en het was nog vroeg. Toen hebben we er een gedronken. Dat is alles.'

Kelly snoof. 'Hoeveel heb je gedronken, al met al?'

'Weet ik niet,' zei Rockne vol overtuiging. 'Art gaf een rondje en daarna ik.'

'En toen Art en toen jij.'

'Zo ongeveer. We zijn teruggekomen omdat we jullie niet de hele avond alleen wilden laten.'

'Art Donna niet, bedoel je.'

Rockne legde een arm om Kelly heen. 'Ik jou niet. Ik zei: "We gaan terug naar het motel." Ga jij morgen maar met Donna en de kinderen naar Key West, dat vind je leuk.'

'Wat ga jij dan doen?'

'Beetje rondkijken. Ik ben op Key West geweest, ik weet hoe het daar is. Misschien zie ik Mac. Hij heeft je voor niks naar dat parkje laten gaan. Ik wil hem graag vertellen wat ik daarvan vind.'

'Je wilt de dertigduizend terug.'

'Dat ook,' gaf Rockne toe, 'maar dat hij je vanavond liet barsten is erger.'

Toen Kelly voor de derde keer naar de wc was geweest, knipte Rockne het licht aan. 'Heb je last?'

'Maagzuur en dat volle gevoel weer. Ze schopt.'

'Ik dacht dat alleen jongetjes schopten.'

'Ze,' zei Kelly met nadruk. 'Ze schopt. Het wordt een meisje.'

'Dat kunnen ze uitzoeken, tegenwoordig, heb je dat soms laten doen?'

'Heb ik niet nodig. Ik weet dat het een meisje wordt. Weet je wat ik niet snap?'

Daar kwam het, de reden van het draaien, het zuchten, het om de drie kwartier plassen.

'Ik snap niet waar die hulp blijft. Ik dacht dat iemand van de zaak je zou komen helpen. Eerst zei jij het en toen ik het Doris vroeg zei ze dat het was geregeld.'

Rockne lag op zijn rug met zijn ogen dicht. Had hij dat gezegd, dat iemand hem zou helpen? 'Helpen met zoeken waar MacMac woont,' zei Rockne. 'Dat is wat ik heb gezegd.'

'Iemand die goed is in het opsporen van mensen. Zo zei je het. Opsporen is iets anders dan uitzoeken waar iemand zou kunnen wonen.' Kelly slikte en ging rechtop zitten, kussen achter haar rug. 'Is Art soms de man die je moet helpen? Jullie lijken zo...' Ze aarzelde, nam een pauze om te zuchten, te slikken, nog eens te zuchten. 'Rotmaagzuur, zoals jullie vanmiddag liepen dacht ik: net vrienden.'

Rockne hield zijn ogen stijf dicht. Kelly raakte het punt dat hem niet lekker zat. Hij was een eenling, altijd geweest, zelfs als hij thuis was ging hij zijn eigen gang. Met Harold sprak hij zelden, met Jeff af en toe, intensief maar kort. Praten met Kelly kon grotendeels op de automatische piloot. Ze vond het goed als hij thuiskwam, ze vond het prima als hij wegging. Hij had veel werk te doen bij de Fertilizer Company en hij moest er met regelmaat de weekeinden blijven. Dat vond Kelly geen probleem. Ze vroeg zelden of hij hard had gewerkt, maar ze zou nooit vergeten te vragen hoe groot zijn bonus was.

'Ik heb geen vrienden.'

'Omdat je ze niet wilt.'

Dat had hij tegen Kelly gezegd. 'Omdat ik ze niet wil. Wat moet ik ermee? Ik heb het druk genoeg.' Ze had daar niets vreemds in gezien. Ze was niet iemand die vriendinnen wilde. Soms kwam er een over de vloer, maar lang duurde het nooit. Kelly leefde voor Harold en Jeff, en voor het vooruitzicht van het grote huis met de tennisbaan aan Chesapeake Bay. 'Ik heb er geen tijd voor, dat weet je toch?'

'Zou je niet zeggen als je jullie ziet lopen, Art en jij. Donna zei nog: "Moet je ze zien, die twee." Dus Art is niet van Richmond.'

Nee, dacht Rockne. Niet van Richmond, dat is zeker. Maar hij voelde zijn keel droog worden toen hij voor de zoveelste keer aan een andere mogelijkheid dacht. Op de boot had hij de gedachte weggedrukt, later in de Pita Etc. ook, wandelend door Tavernier opnieuw. Het was een gedachte waar hij voorlopig niet mee uit de voeten kon en erover piekeren was energie verspillen. Art was niet van Richmond, maar misschien wel van Henry Faulk. Hoe groot was de kans dat je in een uitgeleefd motel naast een stel komt te zitten met wie je uit de voeten kunt?

'Als hij door de zaak was gestuurd, dan had ik dat geweten. Als jij niet naar ze toe was gegaan omdat de kinderen lawaai maakten, hadden we ze waarschijnlijk nooit gesproken. Jij bent goed met kinderen, dat zei Art, en toen vroeg hij of we een pilsje gingen drinken, zo ongeveer is het gegaan. Volgens mij wou hij weg uit de drukte.'

Kelly rolde zich op haar zij; het bed kraakte, Kelly kreunde. 'Weet je dat ik hem niet één keer iets aardigs tegen zijn kinderen heb horen zeggen? Het lijkt wel of hij niets met ze te maken wil hebben.'

'Hij is op vakantie. Hij wil rust.'

'Ik heb niet meer dan tien woorden met hem gewisseld. Als ik naar Donna ga, dan zegt hij dat hij bij jou gaat kijken. Heb jij Donna eigenlijk al eens gesproken?'

'Eén keer.'

'Hoe vind je haar?'

Gewoon. Grote vrouw, maar kleiner dan Art. Te dik na drie kinderen. Geen vrouw naar wie hij een tweede keer zou kijken. 'Ik vind niks van haar. Gewoon, Arts vrouw.'

'Ze is aardig. Vooral voor de kinderen. Art niet. Art is...'

Rockne wist dat Kelly naar hem keek en hij wist wat ze wilde zeggen: Art is net als jij.

'Hij heeft vakantie en hij werkt er ook een beetje bij. Hij moet beoordelen of dit motel geschikt is om toeristen in onder te brengen.'

'Praten jullie daarover?'

Daarover en over dingen waar Rockne niet over had willen praten. In elk geval niet had moeten praten. Hij begreep nog steeds niet waarom hij tegen Art had gezegd dat hij MacMac zocht, waarom ze samen op pad waren geweest, waarom ze zoveel hadden gedronken dat het moeilijk werd om het bij verhalen uit de tweede hand over vertegenwoordigers te laten.

'We praten over van alles een beetje. Niks bijzonders.'

'Wij wel,' zei Kelly. 'Donna en ik praten aan één stuk door. Over kinderen en over mannen die alles doen om niet voor hun kinderen te hoeven zorgen.'

Het klonk lang niet zo bitter als Rockne had verwacht en hij deed zijn ogen open. Kelly lag naar hem te kijken met die blik die hij nooit helemaal had begrepen, iets van medelijden, van zorg, misschien van onbegrip, maar ook iets van verlangen.

Voor alle zekerheid deed Rockne wat hij altijd deed als ze zo keek: hij liet een hand over haar buik glijden.

'Even van achteren?'

Kelly knipte het licht uit. 'We moeten slapen.'

'Ja,' zei Rockne. 'Jij moet slapen.'

Hij deed geen nieuwe poging, maar aaide haar billen tot haar ademhaling regelmatig werd.

'Je bent toch lief,' zei ze voor ze insliep.

Rockne vroeg zich af of het waar was. En of het een goede ontwikkeling was. Hij had zichzelf nooit gezien als lief en het was voor het eerst in jaren dat Kelly het woord gebruikte in een omschrijving van hem.

Hij lag wakker tot Kelly toe was aan een nieuwe plasronde.

Lief of niet, samen naar Key Largo gaan was fout geweest,

hij zag uit naar de dag waarop hij dat zou uitleggen aan Henry Faulk. Eerst aan Faulk, daarna aan Doris.

De volgende ochtend zei Kelly: 'Weet je dat ik er een beetje zenuwachtig van ben?'

Rockne keek naar de manier waarop ze stond, armen voor het lichaam, vuisten ter hoogte van de keel. Ze had de houding van iemand die een aanval verwachtte. 'Zenuwachtig van wat?'

'Van dat aardig doen van je. Gisteravond en vannacht, toen je niet eens doorzeurde. Ik krijg elke keer als ik wat zeg gelijk.' Ze opende een vuist. 'En nu tover je zomaar vijfhonderd dollar tevoorschijn. Om te winkelen op Key West. Dat heb je nog nooit gedaan, vijfhonderd om te winkelen. Is er iets wat ik niet mag weten of zo? Ga je daarom niet mee?'

'Ik dacht eraan dat we vakantie hebben. Eindelijk. Nu het nog kan. Ik dacht: dat moeten we niet verpesten met ons druk maken om geld, of om MacMac. Ga nou maar, Donna is klaar, zo te horen.'

'Is er echt niks bijzonders?' vroeg Kelly vanuit de deuropening.

Rockne keek naar haar vanaf het bed en nam zich voor om nooit meer te luisteren naar een advies over vrouwen. Hij veegde zweet uit zijn nek. 'Ik wil dat je een leuke dag hebt, echt waar. Ga nou maar. Hoor, Donna toetert.'

Het was de claxon van de Dodge RAM, niet van de Geo Metro, hij had een grote auto moeten huren, hij wist wel dat hij spijt zou krijgen.

4

Art was te verbaasd om iets te zeggen. Hij wees naar de bundel kleren die Rockne in zijn armen had en mimede enkele woorden.

Rockne liet het wasgoed vallen. 'Ik ga naar de wasserette, vragen of ze iemand kennen met ogen in verschillende kleuren en met van die neusgaten.' Hij trok aan een neusvleugel. 'Heb jij was voor me? Zonder handdoeken krijg ik geen trommel vol en in de lappen van dit motel staat de naam Comfort Inn. Wedden dat het hier zo heeft geheten voor het aftakelde?'

Art bewoog zich niet. 'Kun je wassen?'

'Hoe moeilijk kan het zijn? Kleren in een trommel, poeder erbij, muntje erin, afwachten.'

'Dat rode shirt, wou je dat bij je witte onderbroeken doen?'

Rockne droeg blauw ondergoed, bruin, soms grijs, nooit wit, Kelly had geleerd dat Rocknes stoelgang niet op wit was afgestemd. 'Moet dat niet?'

'Zou het niet doen. Gaat Kelly niet leuk vinden. Donna stopt alle was in een vuilniszak. Wat ze daarna doet weet ik niet, maar ik raak het niet aan. Je leert wat je moet mijden als je drie kinderen hebt.'

Rockne raapte zijn wasgoed op. 'Ga je mee?'

'Ik ken een manager van de Grand Resort & Beach Club, een eindje verderop. Hij woont al jaren op dit eiland, en als ik hier ben ga ik bij hem langs. Misschien weet hij iets waar je wat aan hebt. Vroeger stopten de toeristenbussen er.' Hij wees naar zijn kamer. 'Tegenwoordig komen we in motels als dit. "Pittoresk," zeggen we tegen de toeristen, "u ziet Key Largo zoals het vroeger was." Als je me wilt afzetten, zou dat mooi zijn. Mijn vriend brengt me wel terug.'

De vrouw in de wasserette droeg een schildje met de naam Angelina. Ze sprak geen woord Engels en zag er niet naar uit dat ze eronder leed. Toen Rockne zijn wasgoed in een trommel wilde stoppen, duwde ze hem weg. Ze deed de kleren in een kleinere trommel, viste het rode shirt eruit en pakte waspoeder. Voor ze het poeder in de machine deed, hield ze een hand op en zei ze iets wat Rockne vertaalde met vijf.

Op de muur stond met rode letters: 'WASSEN 3.99'. Rockne wees ernaar en de vrouw zei: 'Vaiff.' Ze was klein, ze was krom en ze was oud. Eind zeventig, dacht Rockne, en de lucht die ik ruik kan nooit alleen van knoflook komen.

Hij gaf vijf dollar en keek toe hoe de vrouw het poeder in de machine deed en aan een knop draaide. Ze zei iets wat met tijd te maken had en wees naar een klok.

'Mooi,' zei Rockne. 'Ik wacht wel.' Het kon hem niet schelen hoe lang het duurde. Ventilatoren hielden de temperatuur draaglijk en hij zou toch moeten wachten op Engelssprekende klanten wilde hij een stap verder komen.

De trommel bewoog niet meer toen de eerste klant binnenkwam, een meisje dat een kinderwagen meetrok. Ze wierp een snelle blik op Rockne, riep zangerig: 'Ankelieiena' en liet dat volgen door lange zinnen in het Spaans.

'Spreek je Engels?' vroeg Rockne hoopvol. Hij zakte terug op zijn stoel toen het meisje verstarde en hem aankeek of ze een klap had gekregen. Vanuit de kinderwagen klonk gehuil.

Angelina trok het meisje mee naar een trommel in de hoek en riep iets naar Rockne terwijl ze naar de machine wees waarin zijn wasgoed zat.

Moest hij een knop indrukken om te spoelen of te centrifugeren? Hij had geen idee en deed niets. Angelina riep nog iets, keek nijdig naar Rockne en liep naar de machine. Ze gaf er een klap tegen en hield een hand op, terwijl ze met een vinger van de andere hand rondjes voor Rocknes ogen draaide.

Rockne legde een dollar op de hand en wachtte. Angelina

deed iets wat hij niet zag en liep naar het meisje. Ze waren druk in gesprek toen de machine een geluid maakte dat Rockne herkende. Zie je wel, hij moest nog centrifugeren.

Tweeënhalf uur later stond hij op straat. Hij was aangestaard door Angelina, door het meisje met de baby en door drie andere vrouwen, van wie niemand Engels sprak of wilde spreken. Ze hadden om hem gelachen, ze hadden woorden naar hem geroepen, ze hadden meewarig gekeken. Het laatste halfuur had Angelina vooral gemopperd. Rockne had geen idee wat ze halfluid over hem tegen de andere vrouwen had gezegd, maar hij gokte op: hij denkt zeker dat het hier een hotel is.

In de Metro was het bloedheet en van de airco was pas iets te merken toen hij de parkeerplaats van het motel opreed. Hij had niets geleerd over MacMac, maar meer dan hij leuk vond over het doen van de was en de taalvaardigheid van Cubaanse vrouwen.

'Ik denk dat ik 'm heb,' zei Art. 'Het duurde even, want mijn vriend moest een paar mensen bellen. Zegt de naam Reeves Cooper je iets?'

'Heet hij zo?'

'Hij noemt zich zo. Of het zijn echte naam is weet ik niet. Op de Keys houdt hij zich rustig, maar hij is in Florida twee keer opgepakt, eerst in North Miami Beach, daarna in Fort Lauderdale. Hij probeerde er aandelen in zilvermijnen te verkopen aan de verkeerde mensen. Zilvermijnen in Colombia. Dat moet je niet doen in een gebied waar ze drugs smokkelen uit Colombia, voor je het weet word je door een dealer verkeerd begrepen. De tweede keer was hij blij dat de politie kwam. Ze hebben hem flink te pakken gehad, heb ik gehoord. Die neus van hem komt van die ontmoeting.'

'Woont hij op Key Largo of logeert hij hier?'

'Helemaal duidelijk is het niet. Hij moet te vinden zijn in een caravan die vlak bij de hoofdweg staat. Er zijn een paar caravans, daar. Ze zijn illegaal, maar zolang niemand klaagt laat de politie het zo. Kijken?'

'Ja,' zei Rockne. 'Dan zal ik je onderweg vertellen hoe ik denk over vrouwen die Spaans spreken in een wasserette.'

De caravans waar Art Rockne naartoe bracht waren vanaf de hoofdweg nauwelijks zichtbaar. Ze stonden tegenover elkaar, half verborgen achter struiken en bomen waarvan het blader-dak was afgetopt door zeewinden en orkanen. Van allebei de caravans stonden ramen en deuren wijd open, op een tafeltje onder een parasol lagen plastic borden met resten van donuts en lege Budweiser-blikjes. Geen glazen, geen bestek.

'Zijn ze binnen?'

'Niemand is binnen met deze hitte.'

'Als je dronken bent...'

'Als je zo dronken bent dat je het binnen uithoudt, hoor je niemand komen.'

'Dus?'

'Gaan we kijken,' zei Rockne. 'Paar vragen stellen.'

Art knikte, maar bewoog zich niet. 'Is een van die vragen: "Mag ik dertigduizend van je?"?'

'Zit er dik in.'

'Deze caravans zien er niet uit alsof iemand er dertigduizend dollar in bewaart.'

Rockne deed een stap opzij en bewoog zijn bovenlichaam tot zijn hoofd in de schaduw was. 'Misschien kan ik beter alleen gaan.'

'Ja,' zei Art.

'Jij hebt hier niets mee te maken.'

'Nee,' zei Art.

'Nou dan.'

'Maar hoe denk je dat Donna en Kelly reageren als ik jou in je eentje in elkaar laat slaan?'

In de caravans was niemand. Er waren zelfs geen insecten.

Art kokhalsde. 'Ik kan goed tegen de lucht van drank, maar dit...' Hij schopte met een schoen tegen een stapeltje tijdschriften. 'Geen vrouwen hier, tenzij ze houden van bladen met blote tieten. Geen kinderen. Ik denk dat ik naar buiten ga voor ik het afleg.'

Rockne bromde iets onverstaanbaars terwijl hij in een kastje boven het vlekkenmatras rommelde. 'Folders van Orion Resources bv. Dat is de goudmijn van Kelly.' Hij gooide een folder naar Art. 'Lees en vraag je af of je het een dertigduizend-dollar-verhaal vindt.'

Art ging in de deuropening staan en haalde diep adem. 'Als Reeves Cooper met zijn goudmijn meer heeft verdiend dan wat Kelly hem heeft betaald, laat hij het niet merken. Blommenstein-reservoir, Suriname-rivier, Brokopondo-district. Met de namen zit het wel goed, geloof ik.' Hij keek over een schouder. 'Toch heb ik er een slecht gevoel bij.'

'Zal er niet beter op worden als je langs dat autowrak naar het pad kijkt,' zei Rockne. Hij duwde Art weg en legde een hand op de honkbalknuppel die naast de deur stond. 'Laat mij het woord maar doen.'

De twee mannen die zich voor hem opstelden waren bijna even lang en ze waren op dezelfde wijze gekleed: sneakers, spijkerbroek, T-shirt, oorringen, sportpetje. Links een pet van de Lakers, rechts een pet van de Dolphins.

Dolphins opende het gesprek. 'Sodemieter op.'

Lakers viel hem bij. 'Klootzakke.'

Ze spraken allebei met een dikke tong en zwaaiden bijna ritmisch met een sixpack Budweiser. Ze keken naar Art, die achter Rockne stond en boven hem uit leek te torenen.

'Doen we,' zei Rockne. Hij liet de folder zien. 'We zoeken Reeves Cooper.'

'Sodemieter op,' zei Dolphins.

Lakers ging op het tafeltje zitten en keek verstoord naar de borden en de blikjes die eraf rolden. Ze leken hem op een idee te brengen. Hij trok een blikje uit het sixpack, duwde tegen het lipje en liet schuim over zijn broek lopen. Hij keek ernaar alsof hij zich afvroeg wat het was en veegde het weg met het blikje. 'Klootzakke.'

'Reeves Cooper,' herhaalde Rockne. 'Hij zou hier wonen.'

Dolphins keek alsof Rockne iets had gezegd waar een snedig antwoord bij paste. Hij kon het blijkbaar niet vinden en vroeg: 'Zou?'

'Heb ik gehoord,' zei Rockne. 'Reeves Cooper. Mac Mac-Dough.'

Lakers trok het blikje met een ruk weg van zijn mond en liet bier over zijn borst lopen.

Dolphins maakte een dreigend gebaar naar hem en nam de tijd voor een antwoord. Rockne kreeg de indruk dat de naam Mac MacDough hem een stoot adrenaline had gegeven waardoor het effect van de alcohol wegebde. De man ging rechtop staan en pakte het sixpack zo vast dat hij er een klap mee zou kunnen geven. 'Ik woon hier,' zei hij. 'Hij,' ruk met het hoofd, 'woont daar.'

'Maar je kent MacMac?'

Dolphins ogen waren nu ver genoeg open om de irissen te kunnen zien, grijsblauw met eromheen het rood van gesprongen aders. Twee kleine neusgaten. Niet ouder dan eind dertig, iets te dik en hooguit een meter zestig. 'Misschien.'

'Mijn vrouw heeft certificaten van hem gekocht. Van Mac-Mac.' Rockne liet nog een keer de folder zien. 'Van deze goud-mijn. Ze hadden een afspraak, gisteravond. Mijn vrouw wilde meer geld in de mijn stoppen, maar hij liet haar zitten.'

Lakers stond op het punt iets te zeggen, maar na een nieuw gebaar van Dolphins bleef het bij begerig kijken.

'Hoeveel?'

'Is Reeves Cooper dezelfde als MacMac?'

'Misschien,' zei Dolphins, maar Lakers knikte voor hij het tweede blik lostrok.

'Twintigduizend,' zei Rockne. 'Ze ging naar dat parkje bij Atlantic Boulevard met twintigduizend dollar, maar MacMac kwam niet. Daar baalde ze van, en ik ook.' Hij probeerde te doen of hem iets te binnen schoot en vroeg zich af welke gezichtsuitdrukking erbij hoorde. Hij had geen idee en voelde zich rood worden. 'Is er iets mis met die goudmijn? Kwam MacMac daarom niet?'

Lakers had drie keer nee geschud voor Dolphins antwoord gaf. 'Hij was verhinderd. Hoe kom je aan m'n adres?'

'Heeft MacMac mijn vrouw gegeven, hoe anders. Waar is hij? Morgen ga ik terug naar huis. Als ik Reeves vandaag niet spreek, kan-ie de pot op.'

'Waar kannie je bereiken?' vroeg Dolphins.

Rockne probeerde een gezicht van 'snap je nou waarom zo'n vent geen antwoord geeft?', voelde dat hij als acteur opnieuw faalde en maakte een wegwerpgebaar. 'Laat maar zitten. Zeg 'm dat-ie twintigduizend heeft laten lopen.'

Dolphins deed een stap achteruit toen Rockne uit de caravan sprong en nog twee stappen toen Art volgde.

Lakers hield het op: 'Klootzakke.'

Art probeerde zich stil te houden, maar vroeg na een halve mijl: 'Wat ga je nou doen? Opgeven?'

'Nadenken,' zei Rockne. Hij had het gevoel dat hij tot zijn nek in de problemen zat. Het grootste probleem was Kelly die zou vragen wat hij die dag had gedaan, waar hij was geweest, of hij het leuk had gehad. Een iets kleiner probleem vormde Art. Rockne was steeds meer geneigd hem aardig te vinden, een soort vriend. Dat was verkeerd. Je hebt geen vrienden als je huurmoordenaar bent van beroep, je vindt zelfs niemand aardig. Aardig vinden leidt tot praten. Praten leidt tot vertrouwen. Vertrouwen tot te veel praten. Zelfs Kelly had geen idee waar

Rockne zijn geld mee verdiende, maar Kelly was altijd ver weg geweest als hij werk te doen had.

Hij zuchtte en vroeg zich af hoe hij het zo snel had klaargespeeld. Van een man die kon doen en laten wat hij wilde tot een man die op de vingers werd gekeken door iemand die was getrouwd met een vrouw die een dikke vriendin was geworden van Kelly. In een paar dagen tijd.

'Je komt er wel uit,' zei Art, die de zucht verkeerd interpreteerde.

'Ja,' zei Rockne.

Als hij alleen was geweest, had hij het wel geweten. Dan had hij Lakers een klap met de honkbalknuppel gegeven, dan had hij een knie op de keel van Dolphins gezet, dan had hij ze achtergelaten in de caravan met de blote tieten, allebei met een buik vol Bud en een keel vol met het braaksel waarin ze waren gestikt. Als hij alleen was geweest, had niemand hem op Key Largo gezien, hij wist hoe hij dat moest klaarspelen. Dan had geen politieman zijn naam aan een motel kunnen koppelen. Dan had geen Spaanssprekende vrouw hem hoeven helpen met zijn wasgoed.

Alleen was fijn, vond Rockne. Alleen was het beste wat je kon hebben.

Hij zuchtte opnieuw en verstarde toen Art hem op de schouder klopte. 'Kop op, het is maar geld.'

'Ik ga slapen,' zei Rockne toen ze bij het motel waren.

'Beste wat je kunt doen,' zei Art. 'Behalve drinken.'

Rockne voelde zich een insluiper terwijl hij over de galerij liep. Op de hoek keek hij over zijn schouder of Art hem misschien had gezien. Hij wilde een telefooncel zoeken, maar durfde de Metro niet te starten. Te veel lawaai, misschien sliep Art niet, misschien zat hij te wachten tot Rockne meeging naar de bar van het motel, shit, misschien was Art daar al.

Hij transpireerde van de spanning toen hij langs de bar liep, op zijn tenen, het was belachelijk, maar hij kon er niets aan doen. Hij voelde zich kilo's lichter toen hij de telefoon in de gang naar de toiletten had bereikt.

'Ja.' Dat was Doris, onmiskenbaar.

'Ik hoopte al dat je er zou zijn.'

'Natuurlijk ben ik er. De kinderen moeten eten, ook vandaag, ik snap niet dat ze zichzelf niet kunnen redden. Je hebt ze verwend.'

'Ik niet. Ben je al bij de hoek geweest?'

'De hoek?' Rockne hoorde geluiden op de achtergrond. Jeff die altijd de televisie te hard zette, Harold die muziek draaide waar normale mensen gek van werden. Hij zag Doris voor zich, suf gebeukt door een ritmische computer. Hij grijnsde zijn eerste grijns van de dag. Soms is het leven goed. 'Je weet wel, de hoek.'

Doris schreeuwde iets en de geluiden werden minder hard. 'Vind je het erg als ik hier in huis een paar dingen ga rechtzetten?'

Doris tegen twee pubers, Rockne wou dat hij erbij kon zijn. 'Graag.'

'Je hebt kans dat ik gedonder krijg met eh, je weet wel.'

'Van mij hoort ze niks. Heb je tijd om op de hoek te kijken?'

Een nieuwe golf geluid klonk en Doris riep opnieuw iets. 'Drie minuten. Eerst hier even... Het wordt echt te gek.'

Rockne grijnsde opnieuw en hing op. Hij voelde zich een stuk beter. Niets werkt zo verkwikkend als een goed gesprek met iemand die het ook zo leuk niet heeft. Drie minuten betekende in Faulk-taal anderhalf uur. Als Doris anderhalf uur nodig had om bij de telefoon op de hoek van de straat te komen, dan nam ze dat rechtzetten serieus.

Hij liep naar de Metro zonder naar de kamer van Art te kijken en reed naar Homestead op het vasteland.

'Je bent te laat,' zei Doris. 'Weet je wat voor dag het is?'

Rockne had geen idee. 'Woensdag?'

'Verhuisdag. Vanavond is alles overgebracht, de bovenverdieping is al leeg. Het lawaai dat je hoorde kwam uit de keuken. Hoeveel cd-spelers heb je eigenlijk?'

'Hebben we cd-spelers?'

'Wat betreft het temmen van die kinderen van je, had je daar zelf niet eens iets aan kunnen doen?'

'Ik zal Kelly zeggen dat je het geweldig met de jongens kunt vinden. Weet je toevallig uit het hoofd wie het voor het zeggen heeft op de Keys?'

'Problemen op komst?'

'Niet als ik een paar namen kan noemen die ertoe doen.'

'In Miami zit Ricky Gendler, noem hem Meneer Gendler als je hem nodig hebt. Iedereen in ons vak kent hem.'

Ons vak. Rockne dacht aan Art de toeristenman, aan Kelly, aan de kinderen. Hij wou dat hij met zijn vak bezig was. Op de manier waarop het hoorde. In stilte. 'Ik heb de naam nodig van iemand op de Keys die dicht bij Gendler staat.'

'Geef me een halfuur. Kan misschien net voor de verhuizers terug zijn.' Ze maakte een geluid dat Rockne niet kon thuisbrengen. 'Als die dertigduizend dollar er niet waren geweest, was je dan naar Washington State gegaan?'

'Waarom niet. Dat vroeg Henry toch?'

'Dan had Kelly de verhuizing kunnen doen? In haar eentje?'

Zij wilde verhuizen, hij niet. Zij wilde nog een kind, hij niet. 'Werk is werk.'

'Geen wonder dat je kinderen zijn zoals ze zijn. Arme Kelly. Halfuur, zei ik.'

Een reactie was niet nodig, Doris had opgehangen en Rockne wist dat ze nu al genoot van de wraak die ze zou nemen. Ze zou ervan uitgaan dat hij het warm had en hem laten wachten. Hij had zes minuten te laat gebeld, Doris zou de tijd minstens verdubbelen.

Het werd meer. Na bijna vijftig minuten zei ze: 'Steve Vaca is je man.'

'Weet hij ergens van als het erop aankomt?'

'Steve Vaca doet de eilanden, namens Ricky. Hij woont op Key Largo. Wie hem niet kent, heeft een zuivere ziel. Ik zal je een van zijn nummers geven. Is dat alles?'

'Ik voel me naakt,' zei Rockne. 'In een vliegtuig kun je niks meenemen. Ik zou me veiliger voelen als ik mijn materiaal had.'

'Is al onderweg. Over een paar uur heb je de beschikking over een Buick Skylark. Donkerrood, ik had niet anders.'

Hoe wist Doris dat hij een auto nodig had?

'Hij staat op het parkeerterrein van de American Outdoors Campground, vlak bij je motel.'

Hoe wist ze dat er een camping naast zijn motel was?

'Er ligt een pistool in. In een zak van Walgreens. Je weet waar.'

Gewoon achterin, onder een stel poetsdoeken met klodders pindakaas die eruitzagen als stront en die ook zo roken.

'Vanaf morgen ben ik niet meer in je oude huis te bereiken.'

Daar had hij geen seconde aan gedacht.

'Geen tijd gehad een telefoon op de hoek te zoeken. Je zult je moeten redden of moeten bellen via Henry. Moto dus. Ik weet niet...'

Haar stem stierf weg en Rockne wist dat hij iets moest zeggen. 'Alles goed daar?'

'Weet je zeker dat het je iets kan schelen?'

Niets.

'Nou dan,' zei Doris. 'Was dit het? Ik heb het druk.'

'Dus vanavond is alles bij de rivier.'

'Tot en met de jongens. Die al een stuk stiller zijn. Ze kunnen het wel.'

'Mooi,' zei Rockne. 'Wil je iets voor me doen?'

'Een gunst?'

'Een grote.'

'Misschien,' zei Doris, maar Rockne hoorde dat ze wist wat er ging komen.

'Zeg tegen Kelly dat ze naar huis moet komen. Dat je de jongens niet de baas kunt. Dat je het druk hebt. Dat je je niet goed voelt. Verzin maar wat. Ik kan niet werken hier, met Kelly bij me. Alsjeblieft, zorg dat ze naar huis gaat.'

'Wil je echt dat ik Kelly bel? In het motel of op haar mobiel?'

Het was een van de punten die hem hadden dwarsgezeten, waar hij veel te laat aan had gedacht. Zelf belde hij nooit als hij weg was van huis, maar Kelly was anders. Ze was op vakantie gegaan zonder de jongens en waarschijnlijk had ze al drie keer gebeld, misschien wel twintig keer. Hij stond moeilijk te doen met 'bellen op de hoek', Kelly zou het nummer van thuis draaien en Doris vertellen waar ze was, hoe het motel heettte, dat Rockne een grotere auto had gewild, dat ze zulke leuke buren hadden met zulke enige kinderen. Hij had zijn komst op Key Largo evengoed kunnen aankondigen via een advertentie in de *Keynoter* of in de *Miami Herald*. Geen schijn van kans dat hij iets zou kunnen doen wat geheim moest blijven.

'Laat maar,' zei hij. 'Vergeet het maar, het maakt allemaal niets uit.'

Hij voelde zich ongelukkig en dat werd niet beter toen hij bedacht dat hij maar één verstandige optie had: de dertigduizend vergeten en maken dat hij wegkwam van Key Largo.

Kelly kwam de motelkamer binnen met drie plastic tassen en een blik waardoor Rockne meteen op zijn hoede was.

'Hoe was het in Key West?'

'Wel leuk.'

'Leuk' was goed, 'wel leuk' was fout.

'Gewinkeld, zie ik.'

'Ja, hoor. Uren.'

'Rondgekeken, neem ik aan.'

'Overal.' Kelly liet de tassen vallen en plofte op het bed. 'Foto gemaakt bij het Southernmost Point, op Mallory Square gekeken, Duvall Street, overal.'

'Sloppy Joe?'

'Noem het maar Floppy Joe. Donna wilde weg omdat een zanger schunnige liedjes zong. Ik was bekaf, maar ze zei dat William oud genoeg was om het te begrijpen. Toen zijn we maar met dat treintje rondgereden, want ik was echt moe.' Ze wreef over haar buik. 'Het gaat echt niet meer, Rockne. Donna wilde blijven tot na zonsondergang, je weet wel, terug naar Mallory Square waar dan iedereen staat, maar ik zei dat ik naar huis wilde. William was daar kwaad om, en als hij kwaad is, zijn de andere twee het ook.'

Rockne hield zijn hoofd scheef. 'Dat zijn ze nog steeds, hoor ik.' Hij wees naar de muur. 'Aan de andere kant zit een jong stel. Pas getrouwd of nog niet getrouwd, moet je horen.'

Kelly luisterde mee. 'Dat gepiep?'

'Al bijna een uur.' Rockne probeerde te glimlachen. 'Doet me denken aan vroeger.'

'Ja,' zei Kelly. Het klonk niet als een ja.

'Is er iets?'

'Niks.' Stuurs, maar dan wel het soort stuurs dat Rockne herkende, het stuurs van: vraag alsjeblieft door.

'Je kijkt niet blij. Je hebt Key West gezien. Je hebt gewinkeld.'

'Babykleren. En schoenen voor mezelf.'

'Maar ik heb toch het gevoel dat er iets is.'

'Een jurk, voor over een poosje, als ik weer,' ze slikte, 'nou ja, gewoon ben.'

'Je bent gewoon. Zwanger is niet ongewoon. Straks ben je alleen gewoner. Zeg nou maar wat je dwarszit.'

'Ik mis de jongens.' Kelly keek naar de grond, wreef over haar ogen. 'Ik wil naar huis.'

'Goed,' zei Rockne. Hij zegende Doris. Meteen gebeld, meteen prijs, misschien was er toch nog een kans dat hij de dertigduizend kon krijgen.

'Goed?'

'Goed.'

Kelly keek op. 'Ik dacht dat je boos zou zijn.'

Rockne had geen idee waarom ze dat dacht.

'We zijn eindelijk samen op vakantie,' zei Kelly. 'Er past iemand op de kinderen en ik heb geen drukte met de verhuizing.'

'Vandaag.'

Verbaasde blik. 'Heb je daar echt aan gedacht? Dat de verhuizing vandaag is? Ik had het gevoel dat het je niks interesseerde. Je hebt het niet één keer over de jongens gehad, niet één keer.'

'Wel aan gedacht,' zei Rockne. Met leugentjes om bestwil kwam je een eind bij Kelly. 'Natuurlijk heb ik aan ze gedacht, maar ik dacht ook: als ik erover begin, dan wil ze misschien terug, en ze heeft het naar haar zin, hier in de warmte, met Donna.'

'Wat hebben wij nou helemaal samen gedaan,' vroeg Kelly. 'Ik ben op stap met Donna en jij met Art. Je bent amper op het strand geweest.'

'Ik ben hier voor MacMac. Dankzij jou zijn we verder gekomen. Jij hebt gisteren MacMac gezien, en dat-ie de was had gedaan. Vandaag hebben Art en ik ontdekt hoe hij echt heet. Reeves Cooper.'

Kelly ging zitten, handen in de zij aan de rugkant. 'Reeves? Cooper? Wat heeft dat met MacDough te maken?'

'Niets. Hij is een bedrieger.' Rockne haalde adem. De volgende zinnen moesten goed vallen, anders werd het ruzie. 'Voor zover ik nu weet is hij iemand die er een heleboel mensen in heeft geluisd. Honderden misschien. In de buurt van Miami ging het om een zilvermijn. Ik ga je geld terughalen, Kel. Die kloot heeft misbruik gemaakt van een zwangere vrouw die het druk had. Mijn zwangere vrouw.'

Kelly kneep haar lippen samen en keek van Rockne naar de muur waarachter nog steeds gepiep klonk, van de muur naar de drie tassen, van de tassen naar het wasgoed dat Rockne zo goed mogelijk had gevouwen en opgestapeld. 'Wat is dat?'

'Wasgoed. Ik ben naar de wasserette geweest om te vragen of ze iemand kenden met twee kleuren ogen. Ik heb meteen de was meegenomen, ik dacht: dat bespaart Kel een hoop werk.'

'Heb jij dat zo opgevouwen?'

Rockne probeerde verlegen te kijken. 'Zo goed als ik kon.'

Er verscheen een glimlach op Kelly's gezicht. Ze drukte zich op van het bed en pakte Rocknes hoofd met twee handen beet. 'Je bent een schat.' Ze zoende hem vol op de mond en het kostte Rockne moeite niet van schrik zijn hoofd weg te trekken. Een tongzoen, wanneer had ze hem voor het laatst een tongzoen gegeven?

'Lief,' zei Kelly. 'Soms ben je zo lief.' Ze wees naar de muur. 'Als ik nu zo ga staan, met mijn handen op dat kastje, dan kun jij even van achteren. Als je zin hebt, hoor, het hoeft niet.'

Dat zei ze altijd als zij het initiatief nam, het was een zin geworden die meer aanspoorde dan remde.

'Niet eerst wassen?'

'Kom nou maar, anders bedenk ik me nog.'

'Schiet je wel een beetje op?' vroeg Kelly. 'Ik hou het niet langer zo.'

Rockne probeerde zich af te sluiten voor het gepuf van Kelly, dat leek op een bevallingsoefening, voor het gepiep van het bed in de kamer naast hem, het gegil van de kinderen van Art en Donna. Het was niet dat hij niet wilde, het was meer... Hij boog zich voorover en probeerde Kelly's borsten te pakken.

'Ja, zo gaat het helemaal niet,' zei Kelly. 'Denk je dat ik niet genoeg heb aan mijn eigen gewicht? En je moet ook niet zo ver naar binnen gaan, straks raak...'

Ze maakte de zin niet af, maar de suggestie was genoeg.

'Ik ga douchen,' zei Rockne. 'Misschien werkt dat kloteding vandaag wel.'

'Ben je kwaad?'

'Nee.'

Kelly probeerde hem te aaien. 'Niet kwaad doen, Rockne. Over een paar weken ben ik weer...'

Gewoon?

'...als vroeger.'

Welk vroeger? Het vroeger van voor Harold of het vroeger van net voor de zwangerschap.

'Dan wordt alles weer zoals het was.'

Hij zo vaak mogelijk weg, zij thuis bij de kinderen.

'Alleen dan wel in ons nieuwe huis aan de baai.'

Dat was het. Ze wilde naar de kinderen, maar nog meer naar het nieuwe huis.

'Ik zal Doris straks bellen. Als het goed is, hebben ze alle spullen vandaag overgebracht.'

'Heb je nog niet gebeld?'

'Vanmorgen natuurlijk, en toen we net op Key West waren. Daarna heb ik geen tijd gehad. Ik bel niet als ik de kinderen van Donna om me heen heb.'

Dus Doris had Kelly niet gezegd dat ze beter naar huis kon komen. Kelly had het zelf bedacht. Het stemde Rockne mild genoeg om een kneepje in haar bil te geven. 'Ga jij maar eerst. Na het eten rij ik je naar Miami. Als je wilt, ben je vanavond nog bij de jongens.'

'En jij dan?'

'Ik kom achter je aan met dertigduizend dollar. Van Reeves Cooper, die je belazerd heeft.'

'Dan ga ik morgen. Hebben we vanavond nog een beetje vakantie. Samen.'

'Ja,' zei Rockne. Aan elke vorm van geluk zat nu eenmaal een schaduwkant.

Om zeven uur vroeg Kelly of Rockne eten wilde halen, een halve pizza was goed, een hamburger beter, als er maar veel augurk op zat.

Om halfnegen wilde ze zoetigheid, chocola met nootjes.

Een uur later zei ze dat ze het allerliefst ijs zou hebben, met slagroom, een paar gram meer maakte voor haar gewicht toch niet uit en vanaf morgen zou ze kalm aan doen. Als ze thuis was. Bij de jongens.

Tegen halfelf vroeg Rockne of ze het erg vond als hij een pilsje ging drinken. Hij vroeg het zacht, want hij dacht dat Kelly sliep.

'Goed,' mompelde ze en Rockne vroeg zich af hoe ze het klaarspeelde: slapen en antwoord geven.

'Duurt niet lang,' fluisterde hij.

Kelly trok het laken tot haar kin omhoog en maakte een geluid waar Rockne geen woord van kon maken.

Bij de deur stond hij enkele seconden doodstil. Geen gepiep rechts, geen gegil links, regelmatige ademhaling van Kelly. Hij opende de deur centimeter voor centimeter. Als de deur bijna halfopen was, piepten de scharnieren. Hij wrong zich naar buiten voor het zover was en liep op zijn tenen weg. Buiten het motel ademde hij opgelucht uit. Geen Art, geen Kelly, alleen rust en sterren, zo moest het altijd zijn.

Een paar minuten later was hij bij de donkerrode Buick. De auto stonk naar stront, maar dat werd beter toen hij de lappen met pindakaasklodders in een plastic zak had gepropt. Hij keek een ogenblik naar het pistool, maar raakte het niet aan. Hij dacht niet dat hij het nodig zou hebben, hij ging alleen een kijkje nemen.

5

Dolphins lag erbij alsof zijn laatste gedachte er een vol vrede was geweest. Zijn gezicht leek ontspannen, met mondhoeken die naar boven wezen en ogen waarin verbazing lag. Rockne keek lang naar de ogen. Hij had vaker doden gezien en hij was er niet bang voor. Alle ogen die hij had gezien waren star geweest, emotieloos, zonder iets waar hij ook maar het geringste uit had kunnen opmaken. Dolphins was de uitzondering. Verbazing, iets anders kon Rockne niet bedenken.

Hij probeerde te achterhalen waar de verbazing vandaan kon zijn gekomen. Van het feit dat iemand de oorring had uitgerukt misschien, of het feit dat alle vingers van de rechterhand waren gebroken, misschien had ze te maken met de schroeiplekken op de borst of de riem om de testikels.

Rockne had een keer te maken gehad met een sadomasochist die een riem om zijn ballen lekker vond, die geen bezwaar maakte tegen schroeiplekken, die, hij wist het zeker, enig genot zou hebben geput uit een oorring die werd uitgerukt. Gebroken vingers zouden een probleem zijn geweest en een mes ter hoogte van de navel ook.

Dolphins was gemarteld en leeggebloed. Wie het had gedaan moest er de tijd voor hebben genomen. Rockne zag het voor zich, een moordenaar die de blote tieten bekeek terwijl op het bed Dolphins leegliep. Niet alleen bloed, alles wat kon weglekken was in het matras getrokken. Vliegen hadden zich gemeld, muggen zoemden rond.

Toen Rockne moest kokhalzen, strompelde hij naar buiten. Sterrenlicht van boven, twee banen gelig licht van rechts, eentje via het raam, de ander via de deuropening. De deur was open geweest en Rockne had buiten al geroken dat de lucht van bier was vervangen door iets wat sterker was.

Omdat weglopen geen zin had, was hij naar binnen gegaan. Hij had Dolphins bekeken en de tietenblaadjes, die keurig op elkaar waren gelegd, alleen het bovenste lag scheef. Daarna had hij zijn aandacht gericht op het probleem van de vingerafdrukken. Hij had ze achtergelaten, eerder op de dag. Hij had zoveel mogelijk de zijkant van zijn handen gebruikt, maar hij had niet geweten hoe hij tegenover Art het gebruik van handschoenen had moeten verklaren. Waar stonden zijn afdrukken ook weer op? Op de honkbalknuppel naast de deur, dat was zeker. Op de knoppen van de kastjes, misschien op een of twee van de boekjes, hij had er een paar aangeraakt, van blote tieten kon hij moeilijk afblijven. Hij veegde op een paar plaatsen met zijn zakdoek, maar hij wist dat het geen zin had. De caravan zou in de brand moeten, straks, als hij gekeken had bij Lakers.

Lakers lag in dezelfde houding als Dolphins. Even vredig, maar zonder de lucht van bloed en fecaliën. Hij lag in de lucht van Budweiser en in Budweiser zelf. Een blikje was omgevallen en het bier was in het matras getrokken en in het shirt dat hij droeg. Hij snurkte.

Rockne stootte hem aan en het snurken hield op. Lakers deed zijn ogen open, sloot ze zonder iets te hebben gezien en sliep verder.

Na de tweede poging ging Rockne op zoek naar water. Hij vond bier, whisky, vermout en een teiltje met water waarin een doek lag met zwarte vlekken. Uit de kraan in het keukentje kwam niets, in de koelkast lag iets wat rook naar verderf.

Rockne gooide het teiltje leeg over het gezicht en het bovenlichaam van Lakers en zag de man naar lucht happen.

'Klootzakke!'

Een paar klappen hielpen hem rechtop, een por tegen zijn ribben deed hem besluiten zijn ogen open te doen. De pupillen verwijdden zich, werden nauwer, verwijdden zich opnieuw. Na een poosje bleven ze gericht op een punt naast Rockne.

'Wat.'

'Hoe je heet,' zei Rockne.

'Hè?'

Rockne trok een blik los van het volle sixpack dat hij naast de koelkast had gevonden, trok het lipje eraf en goot de inhoud over Lakers hoofd.

'Godver. Bier.'

'Je naam.'

'Gene.' De man klauwde naar het blikje en miste. Hij probeerde zijn ogen scherp te stellen en sloeg opnieuw. Dit keer raakte hij Rocknes hand. 'Gene. Klootzak.'

'Gene wat?'

De man hikte en spuugde iets groenigs over zijn shirt. 'Dorst. Bier.' Hij veegde met een hand over zijn gezicht en likte het bier eraf. 'Davies.'

'Gene Davies?'

'Wie. Ik?'

Rockne liet de vijf overgebleven blikken bier vallen, pakte de man bij zijn nek en sleepte hem van het bed. Hij had het hoofd in de koelkast toen de eerste golf braaksel naar buiten kwam. Gecombineerd met het voedsel dat had liggen rotten gaf het een lucht die niet onderdeed voor die in de caravan van Dolphins.

'Je geeft antwoord of je gaat dood met je kop in je koelkast en je neus in je kots.'

Lakers maaide met zijn armen en trapte als een paard dat er werk van maakt.

Rockne trok hem achteruit en gaf hem de kans zijn neus schoon te vegen.

'Je naam, en nu goed.'

'Gene, dat zei ik toch. Davies. Gene Davies. Ik.'

'Daar zijn we het dus over eens. Jij bent Gene Davies en die maat van je, in de caravan daarginds, die heet...'

'Malcolm. Mel. Cooper.'

'De broer van Reeves Cooper.'

'Wie anders.'

'Waar is Reeves?'

Die vraag was te moeilijk en er waren drie rondjes koelkast nodig voor Davies een inval kreeg. 'Thuis?'

'Denk het ook. Waar is thuis? Hier?'

Davies probeerde Rocknes hand te volgen, die bijna een cirkel maakte. 'Hier? Thuis. Niet hier. Daarginds.'

Dit keer maakte Davies een armgebaar. Hij viel er bijna van om.

'Kni... night Key. Knight Key. Dicht bij de brug. De grote brug. Mel weet...' Davies boerde en wreef over zijn maag. 'Dorst.'

'Wat weet Mel?'

'Alles. Mel... alles. Broer van Reeves.'

Rockne probeerde het een paar minuten, maar meer was er niet uit Davies te krijgen. Hij trok hem weg uit het keukendeel en duwde hem op bed.

'Biertje?' vroeg Gene. Het klonk als een kind dat een nachtzoen wil. 'Eentje?'

Rockne pakte de vijf blikken bier, keek ernaar en vroeg zich af of je het *fivepack* moest noemen. Daarna zwaaide hij de blikken in het rond en gaf Davies een klap tegen de zijkant van het hoofd, en nog een, en opnieuw. Toen hij wist dat Davies dood was, ging hij op het trapje zitten nadenken. Hij had problemen, hij had het eerder vastgesteld, maar dit was het moment om ze van alle kanten te bekijken en vast te stellen hoe groot ze waren.

Het punt van de herkenbaarheid was het belangrijkste, stelde Rockne vast. Herkenbaar was fout, als hij in zijn leven érgens van had geprofiteerd, dan was het van onherkenbaarheid. Hij behoorde tot de mensen die over het hoofd worden gezien, die in alles gemiddeld zijn, zonder iets wat opvalt. Kleren als iedereen, haardracht als iedereen, gezicht zonder specifieke kenmerken. Hij kon een avond te midden van honderden mensen staan en de dag erna zou niemand zich hem herinneren. 'Ja, agent, een man, dat weet ik zeker. Een meter zestig of zo, misschien één zeventig. Gewoon gezicht, niks bijzonders aan. Nee, geen idee waar hij is gebleven, hij was opeens weg, maar dat bedenk ik nu pas, nu u het vraagt.'

Zo was hij, en zo was hij zijn hele leven geweest. Als kind had hij het vervelend gevonden, maar dat was beter geworden toen Kelly had gezegd dat ze gewoon prima vond. Zelf was ze ook gewoon. Dat zei ze van zichzelf en Rockne was nooit zo verliefd geweest dat hij haar als speciaal had gezien, mooier dan de anderen. Ze waren gewoon, gemiddeld, saai, iedereen had er een woord voor en Rockne had ze allemaal prima gevonden. Als boodschappenjongen voor zijn ooms was gewoon zijn handig geweest; later, toen hij zijn beroep had gekozen, was het een zegen gebleken. Als hij aan het werk was, verfde hij zijn haar, plakte hij een snor op, droeg hij een kleurige pet. Als hij werd gezien, was het enige wat getuigen te melden hadden dat hij rood haar had of spierwit, dat hij een snor droeg, dat op zijn petje verfklodders hadden gezeten. 'Verder zou ik het niet weten. Hij was gewoon, net als iedereen.'

Op Key Largo was hij Rockne, helemaal zichzelf en zonder enig hulpmiddel. Kelly zou hem opgedragen hebben zijn haar te wassen, hem zo hard hebben uitgelachen dat hij zijn snor had weggetrokken, net zo lang naar een afvalbak hebben gewezen tot hij zijn petje erin had gegooid. Bovendien was hij op Key Largo niet een doorsneeman van wie niemand de naam wist, maar Rockne Paradise, inwoner van Baltimore, op vakantie met zijn zwangere vrouw. Kelly had ongetwijfeld aan wie het maar horen wilde verteld waar ze woonde, waar het nieuwe huis stond, dat ze twee zonen hadden en dat er een dochter op komst was.

Buiten het motel was hij gezien door honderden automobilisten, door fietsers, door Cubaanse vrouwen in de Coin Laundry. Weinigen zouden hem kunnen beschrijven, maar allemaal zouden ze weten dat een heel gewone man naast iemand had gelopen van twee meter lengte die eruitzag als een blok beton. Niemand zag Art over het hoofd, en via Art was het een kleine moeite om bij Rockne Paradise te komen.

Na herkenbaarheid was Art het grootste probleem. Daarna volgde Kelly. Ze moest weg van het eiland, zo snel mogelijk. Meteen eigenlijk, maar Rockne wist dat daar geen beginnen aan was. Kelly was niet te dwingen. Ze zou hem aankijken en zeggen: 'Doe niet zo gek,' waarna ze zou uitleggen wat ze allemaal nog moest doen. Afscheid nemen van Donna en de kinderen, haar koffers pakken, nog drie keer kijken naar de jurk die ze op Key West had gekocht en naar de nieuwe schoenen. Hij had meegemaakt dat ze besloot dat de keuze verkeerd was geweest en dat ze geruild moesten worden.

Rockne huiverde toen hij daar aan dacht. Als Kelly zei dat ze naar huis wilde maar eerst naar Key West moest om schoenen te ruilen, dan zou het een lange dag worden. Hij zuchtte, ging verzitten omdat het ijzer van het opstapje in zijn billen drukte en keek naar de caravan van Mel Cooper. De brand erin was nog steeds het beste als het om vingerafdrukken ging, maar vuur zou de politie lokken en hoe langer dat kon worden uitgesteld hoe beter. Bovendien was de kans groot dat iemand een grote man en een kleine bij de caravans had gezien. Art zou geen reden hebben om te zeggen dat hij er niet was geweest. Of wel?

Rockne had zin in een sigaret. Hij wilde roken, slokjes bier nemen en zich langzaam het hoofd breken over Art Flaming. Het kon toeval zijn dat Kelly en hij naast Art en Donna waren geplaatst. Het kon, maar het hoefde niet. Art keek niet om naar de kinderen, zoiets had Kelly gezegd. Hij had zich geen seconde afgevraagd of Art de vader was, of hij getrouwd was met Donna, of hij echt de kost verdiende als reisleider. Hij had het aangenomen. Omdat het makkelijk was dat te doen. Omdat hij op vakantie was. Omdat twijfel alleen maar ruzie met Kelly zou opleveren, en waarschijnlijk huilbuien. Als hij aan het werk was hield hij rekening met alles wat een probleem zou kunnen worden, en het werd tijd dat hij dat nu ook ging doen. Zolang hij niet wist hoe het zat, zou hij Art als een risico beschouwen.

Er waren nog een paar punten waar Rockne graag gedachten aan zou wijden, zoals Faulk die vond dat hij op vakantie moest en Doris die in zijn huis was getrokken, maar hij besloot er voorlopig geen tijd aan te verspillen.

Eerst moest Kelly naar huis en moest hij navraag doen naar Art. Pas daarna kon hij naar Knight Key, waar Reeves Cooper woonde, en in de tussentijd moest hij hopen dat niemand het lijk van Mel zou ontdekken.

De caravan in brand steken was uitgesloten. Rockne zuchtte toen hij die conclusie had getrokken. Hij hield niet van gepieker over wat zou kunnen gebeuren en waarom, je kon het duizend keer doen, maar vaak kwam je er geen stap verder mee. Een enkele keer trok je een conclusie waaraan je niet hoefde te twijfelen, maar dat was pure mazzel, alle andere keren was het energieverspilling.

Hij ging staan en wreef over zijn billen. Mel Cooper moest blijven liggen waar hij lag, maar Gene Davies moest verhuizen. Er was geen enkele reden om het de politie makkelijk te maken, en hoe langer ze op een verkeerd spoor zouden zitten hoe beter.

Gene Davies was niet langer dan Rockne en zeker niet zwaarder, maar hij voelde aan als een zak vol lood die alle kanten op wilde zwabberen. Rockne kreeg hem met veel moeite buiten zijn caravan, maar wist dat het hem niet zou lukken het lichaam over een schouder te gooien en naar de andere caravan te dragen. Op een deken leggen en slepen, dat zou gaan, maar hij zou er een breed spoor mee achterlaten en het zou onmogelijk zijn dat weg te werken zonder de binnenplaats in het licht te zetten.

Hij liep naar binnen en trok het laken van het matras. Het was voor een deel nat van het bier en het stonk, maar Rockne zag geen andere oplossing. Hij legde het laken uit, rolde Davies erin en pakte de uiteinden. Hij kreeg het pakket op zijn rug zonder meer geluid te maken dan een paard dat op hol slaat en zette, gekromd en met een rug die leek te breken, de eerste stappen. Hij voelde zich een kerstman met te zware pakketten. Dat was gedurende de eerste zeven passen. Toen scheurde het laken en rolde Davies op de grond. Op dat ogenblik wist Rockne precies wat hij had moeten doen. Hij had de Buick moeten halen en Davies in de kofferbak moeten proppen, hij had de man naar de andere caravan moeten schoppen en hem daar pas dood moeten slaan, hij had... Hij zuchtte en wikkelde het laken opnieuw om Davies, die geluiden maakte of hij bellen aan het blazen was. Hij was bijna bij de andere caravan toen het laken opnieuw scheurde. Davies maakte een geluid dat in de buurt van 'hè?' kwam en Rockne vroeg zich een ogenblik af of er niet toch nog leven in de man zat. Hij wachtte tot hij geen geluid meer hoorde, ademde een paar keer diep in en sjorde Davies op zijn rug. Wankelend overbrugde hij de laatste meters. Hij hijgde als een karrenpaard toen hij het lichaam in de caravan had en vervloekte het smalle gangpad, de stoel waarachter een arm bleef haken, de koelkast waar Davies' hoofd tegen stootte.

Het leek een kwartier te duren voor hij het lichaam over de benen van Cooper had gesjord en nog een paar volle minuten voor hij het niet meer weg voelde glijden. Toen hij zijn ademhaling onder controle had, legde hij Davies' rechterhand om het mes dat in Coopers buik stak. Daarna sloeg hij hem met de zijkant van het hoofd tegen de rand van het bed. Hij deed het drie keer, liet het lichaam naast het bed glijden en veegde over alle plaatsen die hij aangeraakt zou kunnen hebben. Op de volgende vakantie met Kelly zou hij handschoenen meenemen en een mondkapje en tegen iedere reisleider zeggen dat hij eczeem had en bang was voor virussen.

Toen zijn adrenalinepeil zo ver was gedaald dat hij te veel last van de lucht begon te krijgen, deed hij de lichten uit en ging hij naar buiten. Hij was tevreden. Goed werk gezien de omstandigheden, dat was zijn conclusie. Lichten uit in de caravan van

Davies en hopen dat ze geen vrienden hadden die over een paar uur een biertje kwamen halen.

Hij stond voor de caravan toen hij het onheil herkende, het onbestemde gevoel waar zijn nek vochtig van werd en zijn hart sneller door ging kloppen. Hij had het eerder gehad en geleerd dat hij het niet moest negeren.

Hij keek naar de donkere bomen en struiken alsof daar honderd ogen waren die naar hem staarden, keek naar de hemel, waar de sterren die dicht bij de halvemaan stonden verbleekten, naar de grond waarin vezels van een laken te zien moesten zijn en afdrukken die Davies erin had gemaakt toen hij viel.

Hij liep naar binnen, vouwde het gescheurde laken op en propte het in een kastje waarin een honkbalhandschoen en drie ballen lagen. Op een van de ballen was een handtekening gezet door iemand wiens naam Rockne niets zei.

Hij veegde met zijn zakdoek langs de deur van de koelkast, over de greep van het kastje met de ballen, over de blikjes Budweiser. Het waren zinloze handelingen, maar ze verdreven de spanning. Je kon het beste iets doen als je je niet lekker voelde. Toen hij opstond bonkte zijn hoofd en een paar seconden was het of hij zweefde. Hij greep zich vast aan de rand van het tafeltje naast het bed, wachtte tot zijn hoofd helder werd en veegde de tafelrand af.

Er was iets, maar hij had geen idee wat. Iets wat niet klopte, iets wat hij was vergeten misschien. Hij probeerde zich te herinneren wat hij had gedaan, stap voor stap, vanaf het moment dat hij de caravan van Mel Cooper naderde tot het ogenblik waarop hij de steken tussen zijn schouderbladen had gevoeld. Hij zag geen fouten. Mel Cooper was dood toen hij kwam en de enige manier om tijd te winnen was verwarring zaaien door Gene Davies bij hem te leggen. Met duidelijke vingerafdrukken op het mes. Misschien was het een idee om terug te gaan en de oorbel van Davies uit te rukken. Rockne overwoog het, maar zag ervan af. Op televisie had hij een keer gezien dat een arts kon vaststellen of een verwonding na de dood is toegebracht of ervoor. Rockne wist niet of het zo was, maar het had overtuigend geklonken en waarom zou hij risico nemen.

Hij rekte zich uit en luisterde naar de geluiden om hem heen. Auto's over de weg, een motorboot, geritsel van een dier, in de verte iemand die iets riep. Niets bijzonders, maar nog steeds: onheil.

Hij liep weg terwijl hij bleef luisteren. Zag niemand, hoorde niets. Hij stak de hoofdweg over en drukte zich tussen de struiken. Niemand die hem volgde. Hij bleef staan tot hij de behoefte voelde om zichzelf uit te schelden. Rockne die het op zijn zenuwen kreeg, Rockne die last van zijn maag had omdat hij bloed had geroken en wat stront, Rockne die geen man kon verplaatsen zonder zijn rug te breken, Rockne...

Het hielp. Zijn ademhaling werd rustiger en het stijve gevoel in zijn nek en schouders verdween.

Via Harbor View en Hood Avenue liep hij naar een punt voorbij de plaats waar hij de Buick had geparkeerd. Hij stak opnieuw over en liep over Atlantic Boulevard naar de auto. Niemand. Niets.

Hij reed terug naar Rock Harbor, zette de Buick op de plaats waar hij hem had aangetroffen en pakte het pistool.

Dat was het enige voordeel van onheil, dacht hij, je kwam erdoor tot besluiten.

In de lobby van het motel ging Rockne uithijgen, handen op de knieën, mond wijdopen. De receptioniste wachtte tot Rockne was uitgehijgd en zei: 'U loopt tenminste niet op het heetst van de dag. Die heb je, hoor. Dan zie je ze om een uur of twee langskomen, met een flesje water in de hand en een handdoek om de nek. Dan denk ik: o jee, als die maar terugkomt. Gaat het een beetje?'

Rockne zegende zijn inval. Honderd meter hardlopen had

van hem een persoon gemaakt die medelijden opwekte. 'Om de baai heen, richting hoe heet het daar, Point Charles?'

'Tjonge,' zei de receptioniste. 'Da's een end.'

'Beetje bijhouden. Conditie. Valt niet mee als je ouder wordt.'

'Zo oud bent-u niet. Was u niet, eh, van die zwangere mevrouw in 104?'

'Ze wil naar huis. Morgen. Ze mist de kinderen.'

De receptioniste knikte. 'Verbaast me niks. 't Is te warm hier als je zo'n end heen bent. Nog knap van haar dat ze er elke keer uit ging. Met die mevrouw met kinderen, bedoel ik.'

'Donna. Een geluk dat u ons in kamers naast elkaar hebt gezet. Ze zijn vriendinnen geworden, mijn vrouw en Donna.'

De receptioniste opende haar mond, sloot hem en deed iets met de computer. 'Daar had u toch om gevraagd? Naast elkaar, bedoel ik.'

Rockne liep naar de balie en keek schuin naar de monitor. 'Staat dat er?'

'Familie Paradise naast familie Flaming. Dat staat hier, bij...' Ze schrok. 'Ojee, het is vertrouwelijk. Dat was ik vergeten. Ik had het u niet mogen vertellen. Ik hoop niet dat u...' Ze keek opgelucht toen ze Rockne zag glimlachen. 'Het komt door vermoeidheid. U moest eens weten hoeveel uren ik draai. Volgend jaar moet het anders zijn. Daar hebt u natuurlijk niks aan, maar toch. Goed in de verf en meer personeel. We krijgen een nieuwe naam ook.'

'Tourist Motel?'

Ze keek hem aan met open mond. 'Hoe weet u dat? Dat ze dat van plan waren, bedoel ik. Eerst was het Tourist Motel, maar sinds kort Europe Motel. Of Motel Europe, daar moeten ze nog over vergaderen.' Terwijl ze sprak, tikte ze op toetsen. 'Paar uur voor u kwam is gevraagd of u naast de familie Flaming geplaatst kon worden.'

'Hoe lang waren die hier dan al?'

'Net. Een halve dag of zo. En u hebt niet gebeld?'

'Mijn baas, hoogstwaarschijnlijk,' zei Rockne snel. 'Hij heeft geregeld dat we op vakantie konden, Kelly en ik. Hij zei dat-ie alles zou regelen. Omdat het nog net kon.'

De receptioniste keek omhoog. 'Geef mij zo'n baas. Die van mij is pas tevreden als ik door mijn knieën zak.' Ze keek geschrokken. 'Dat mag ik natuurlijk niet zeggen.'

'Ik heb niks gehoord,' zei Rockne. 'Ik ga kijken hoe het met mijn vrouw is. Het valt niet mee als je zwanger bent.'

Kelly sliep en toen Rockne iets zei murmelde ze woorden die uit een halfslaap kwamen. Naast het bed stond een koffer. Naast de reistas in de hoek lagen de kleren voor de volgende dag. Op de stoel lagen zijn kleren: shirt, onderbroek, sokken. De rest lag in de kleine koffer die onder het bed was geschoven. In de badkamer lagen zijn scheerspullen naast de zeep die hij het liefst gebruikte en de aftershave die hij alleen aanraakte als Kelly er met nadruk om vroeg. Hij kreeg de indruk dat Kelly er niet van uitging dat hij mee zou gaan naar Baltimore en daar voelde hij zich een stuk beter door. Misschien was het onheil daar wel vandaan gekomen, van het gevoel dat Kelly de dertigduizend wilde laten schieten en dat ze er toch op zou aandringen dat hij mee zou gaan. Naar het nieuwe huis, naar Doris, de kinderen, het uitzicht op het water van Chesapeake Bay.

'Kom je?' De stem van Kelly klonk onverwacht helder.

'Straks. Even een luchtje scheppen. Ik ben nog niet moe.'

'O.' Kelly wurmde zich overeind, plaatste haar voeten op de vloer en liet een windje. 'Plassen.'

Ze liep naar de badkamer, kwam terug en liet zich op het bed vallen. Ze zei iets onverstaanbaars en sliep verder.

Rockne deed het licht uit en sloop naar de deur. Geen piepende veren aan de ene kant, geen kinderstemmen aan de andere. Als de airco ophield met rochelen zou het rustig zijn geweest.

Voor het eerst, dacht Rockne, ze slapen allemaal, het pasgetrouwde stel, Donna, Art, de drie schreeuwerds, allemaal in slaap. Of weggegaan en nog niet teruggekeerd. Hij wist zeker dat ze zouden thuiskomen als hij net in bed lag en dat ze hem van twee kanten zouden bestoken met geluiden die hij niet wilde horen.

Zijn nek begon weer te prikken en hij ging naar buiten, op zijn tenen, als hij zo doorging werd het een gewoonte.

Hij draaide de zijspiegel van de Metro zo dat hij de deuren kon zien van zijn motelkamer en van die van Art, en schurkte tot hij naar behoren zat. Zitten, kijken, wachten kostte hem geen moeite. Hij was eraan gewend en hij wist dat als hij zijn gedachten op nul zette, er iets gebeurde met de tijd. Ze vergleed zonder dat hij het in de gaten had, hij had nooit begrepen hoe het zat, maar als hij twaalf uur in een auto moest zitten, dan zat hij twaalf uur. Het werd pas een probleem als hij ging denken. Piekeren was nog erger, piekeren vertraagde de tijd, je zat voor je gevoel een halve dag te piekeren en als je op je horloge keek mocht je blij zijn als er drie kwartier voorbij was.

Dus zat hij en dacht hij aan niets. Niet aan Kelly's dertigduizend dollar, niet aan twee lijken in een caravan, niet aan Art.

Toen er iets gebeurde waardoor hij met een ruk rechtop ging zitten was hij, zoals altijd, verbaasd over de tijd die was verstreken. Meer dan anderhalf uur, en hij zat net. Hij liet zich langzaam onderuitzakken en bleef in de spiegel kijken naar Kelly, die een paar meter voor de deur bleef staan, afgetekend tegen het licht. Ze draaide naar links, naar rechts, deed een stapje vooruit, draaide opnieuw naar links, keek in de richting van de hoofdweg alsof ze op iemand wachtte. Rockne kon het niet goed zien, maar hij wist dat ze haar schouders ophaalde, waarschijnlijk iets mompelde, beslist een vuist balde, grimmig keek.

Ze neemt een besluit, dacht Rockne, kijk maar, daar gaat ze, recht op de deur van Art en Donna af. Hij zag dat Kelly een beweging maakte alsof ze klopte. Nog een keer. En opnieuw, dit keer zo hard dat hij het in de Metro kon horen. Hij dacht dat hij Kelly hoorde roepen, maar er reed een vrachtauto over de hoofdweg en elk ander geluid ging verloren in geronk. De deur bleef dicht en Kelly liep terug. De klap waarmee ze de deur dichtgooide drong wel door, evenals het gerinkel van de ruit.

Rockne keek nog een keer op zijn horloge. Iets na tweeën. Donna en de kinderen waren niet in hun kamer. Misschien zou Donna midden in de nacht geen deur opendoen, maar ze zou beslist langs het gordijn naar buiten kijken. Of de receptie bellen. Donna en de kinderen waren weg, net als Art. Definitief of tijdelijk, dat was een vraag die Rockne graag beantwoord zou zien. Hij bewoog zijn schouders tot hij lekker zat en ging verder met aan niets denken.

Dit keer duurde het minder dan een halfuur, drie minuten naar zijn gevoel, voor hij Art zag naderen. Hij had geen Dodge RAM gehoord of gezien en er was meer dan genoeg ruimte op de parkeerplaats. Art had de auto aan de andere kant van het motel gezet of hij was een rondje wezen lopen.

Hij bleef staan voor Rocknes kamer, liep door, maar ging zijn eigen kamer niet binnen. Geen Donna te zien, geen kind te horen. Art was alleen en hij had geen haast om naar binnen te gaan.

Rockne duwde het portier op een kier en floot op twee vingers. 'Art. Hier.'

Art draaide zich met een ruk om en Rockne zag dat hij zijn mond opendeed.

'Hier. Auto.'

Art bewoog zijn hoofd, zag de zwaaiende arm van Rockne en liep naar de Metro, langzaam, op zijn hoede. 'Wat doe jij hier?'

'Zitten,' zei Rockne. 'Kom erbij.' Hij trok zijn portier dicht en duwde het andere open.

Het duurde lang voor Art een besluit nam, en de manier

waarop hij zich bewoog verraadde tegenzin. Hij liep achter de auto langs, bleef seconden staan met een hand op het portier en zuchtte toen hij zich op de stoel liet zakken. 'Waarom zit je hier?'

'Rust. De auto is de enige plaats waar ik in alle rust kan nadenken. Ik hoopte al dat ik je zou zien.'

'Je had op de deur kunnen kloppen.'

'Drie kinderen wakker maken, en Donna?'

'Wat had je gedaan als ik gewoon had liggen slapen?'

'Niks. Zitten. Naar de sterren en de halvemaan kijken. Maar je sliep niet.'

Art bewoog zich ongemakkelijk. 'Waarom dacht je dat?'

'Omdat ik je auto niet zag. Ik dacht: hij is weg, maar hij komt vast wel terug.'

'O,' zei Art en het klonk als opluchting. 'Kunnen we niet beter in een bar gaan zitten en een biertje drinken?'

'Doen we straks,' zei Rockne. 'Vertel eens hoe het ook weer zit met dat werk van je?'

De sfeer had niets meer van het kameraadschappelijke van de dag waarop ze hun vistocht maakten, Rockne voelde het en hij wist dat Art het ook merkte. Zijn stem had zijn zangerigheid verloren en er klonk iets snauwerigs in door.

'Wat valt er verdomme meer over te vertellen dan je al weet? Reisleider, overal naartoe, overal en nergens. Zit je hier om kwart voor drie 's nacht omdat je wilt solliciteren naar de baan van reisleider?'

'Het was meer een vraag om het ijs te breken.'

'IJs. Jezusnogantoe. IJs breken. Kan het raam open of breken we ijs terwijl we stikken van de hitte?'

'Beter dan stikken van de insecten. Ik dacht: op de eilanden zijn geen muggen, die vind je alleen op het vasteland, in de Everglades en zo. IJs breken, je weet wel, alsof je op je gemak moet worden gesteld.'

'Ben ik niet op mijn gemak dan?'

'Ik zou het niet weten,' zei Rockne. 'Zin om te vertellen waarom je je auto niet voor je kamer hebt gezet?'

'Nee,' zei Art.

'Of waarom je bent komen lopen?'

'Nee.'

'Of waarom je kamer leeg is?'

'Krijg de tyfus,' zei Art.

'Oké,' zei Rockne.

Hij wist dat Art niet zou uitstappen, hij wist ook dat hij niet degene zou zijn die het gesprek voortzette. Hij kon Henry Faulk de baas als het om zwijgen ging, Art was geen partij.

'Wat wil je nou eigenlijk?' De stilte had nog geen minuut geduurd.

'Waar is Donna?'

'In de Grand Resort & Beach Club. Een vriend van me is daar manager, dat heb ik toch verteld.'

'Waarom is ze daar?'

'Omdat ze genoeg heeft van dit motel. De douche lekt, de hele nacht hoor je druppels vallen, als de airco is afgeslagen, bedoel ik. Als-ie aanslaat, dan trilt de ruit mee en komt het nepschilderijtje met de ondergaande zon los van de muur. Het bed zakt door en het tafeltje rust op drie poten, het vierde is twee centimeter te kort. Is dat reden genoeg?'

'Uhuh,' zei Rockne.

'Bovendien gaat Kelly morgen terug naar Baltimore.'

Rockne telde in alle rust tot tien. Zou er iets zijn wat Kelly vergeten was te vertellen? Hoeveel sokken hij had, bijvoorbeeld, en dat hij helemaal geen nieuwe zwembroek had gewild? 'Is dat zo?'

'Dat zei ze tegen Donna. Dat ze naar de kinderen wilde en naar het nieuwe huis. Zon was leuk, zei ze, maar een paar dagen was genoeg. Wil je beweren dat je nergens van weet?'

'Kelly kwam een halfuur geleden naar buiten. Ze tikte tegen de deur van jullie kamer. Ik kreeg niet de indruk dat ze weet dat Donna naar een ander hotel is.'

'Weet ze ook niet. Daarom ben ik teruggekomen. Om een briefje onder jullie deur door te schuiven.'

Rockne hield een hand op. 'Geef maar, dat briefje.'

'Straks. Als ik het geschreven heb. Er ligt een pen in mijn kamer, en een blocnote. Ik heb de kamer nog tot twaalf uur morgenmiddag. Tijd zat voor briefjes.'

Rockne legde zijn hand op het stuur. 'Vertel dan maar wie Donna is. Hoe ze heet, bedoel ik, en waar die kinderen vandaan komen.'

'Donna Bujold. Echtgenote van Art Flaming. Drie kinderen uit eerste huwelijk. Waarom zit je te raaskallen?'

'Ze noemen je nooit "vader". Of "pappa". Of "pappie". Dat is niet toevallig omdat je hun vader niet bent?'

'Hoe weet jij hoe ze me noemen? Jij hebt Donna één keer gesproken voor zover ik weet, en de kinderen nul keer.'

'Muren,' zei Rockne. 'Ik heb die kinderen vijfhonderd keer "mamma" horen zeggen. "Mammie". Dwars door die klotemuur heen. Nooit "pap", "pappa", "papa", "pappie". Zelfs niet "meneer". Ze noemen je gewoon niet. Zin om dat uit te leggen?'

'Nee,' zei Art.

'Weet je wat je had moeten doen?' zei Rockne na een kleine minuut stilte. 'Je had uit moeten stappen. Het portier dicht moeten slaan. Weg moeten lopen, met van die grote passen. Misschien met een vuist moeten zwaaien. Dat had je moeten doen. Misschien had ik je dan geloofd. Weet je dat een paar mijl verderop twee lijken liggen? Een met een Lakers-petje, het andere met een petje van de Dolphins. In die caravan zitten jouw vingerafdrukken. Vertel es hoe het komt dat je een kamer in dit motel nam vlak voor wij kwamen? En waarom er is gebeld met de vraag of we een kamer naast die van jullie konden krijgen? Als je "krijg de tyfus" zegt, dan worden wij pissig.'

Art ging verzitten, meer naar het portier, zijn rechterhand lag op zijn schoot, vuist gebald.

'Wij?'

'Mijn Vector CPI en ik,' zei Rockne. 'Maak je niet druk om hoe je het best kunt zitten in een Metro. Maak je druk om het gat in je kont. Laten we maar beginnen met Donna. Waar heb je haar opgeduikeld?'

'Hollywood,' zei Art. 'Ligt tussen North Miami Beach en Fort Lauderdale. Vergeet Denver. Ze is er nooit geweest voor zover ik weet, maar wat weet ik ervan. Ik ken haar van toen haar man nog leefde. Hij zat in het leger, net als ik. Hij ging ergens in Azië dood omdat hij onder zijn eigen truck kwam, niemand weet hoe hij het klaarspeelde.'

'Dat is dus Donna. Wie is Art Flaming?'

'Jouw beurt. Wat weet je van twee lijken in een caravan?'

'Evenveel als jij.' Rockne was erachter waar het onheilspellende gevoel vandaan was gekomen. Niet van Kelly. Art was in de buurt geweest. 'Jij was daar, vannacht.'

'Is dat zo?'

'Omdat je achter mijn kont aan loopt, daarom is het zo. Omdat het niet anders kan. Jij bent naar Key Largo gestuurd. Ik kwam uit Baltimore, jij ergens van de noordkant van Miami. Net genoeg tijd om Donna en haar kinderen op te halen. Net genoeg tijd om je te installeren. Waarom?'

'Oppas.' Voor het eerst grinnikte Art, en het was een grinnik van diep uit de buik. 'Geen lijfwacht, want dan had ik gezegd: "Bekijk het maar." Oppas. Om te zorgen dat je je een beetje netjes zou gedragen.'

'In opdracht van?'

Art leek zich te ontspannen. Hij was zijn geheim kwijt en dat luchtte op. 'Maak het even. Van iemand die gebeld was door iemand die was gebeld door iemand die, enzovoort. Je weet toch hoe het gaat.'

Rockne wist het. Doorvragen had geen zin. Hij zou Henry Faulk moeten bellen, of Doris. Maar Doris zat in het nieuwe huis en Faulk zou hem uitlachen en zeggen dat hij alleen over werk wilde praten, Rocknes werk, het echte, niet diens werk als amateurdetective. 'Je wist waarom ik naar Key Largo ben gegaan?'

'Kelly, de dertigduizend dollar, dat je de pest in had. Het was makkelijk dat je het uit jezelf vertelde. Hoefde ik niet voortdurend te doen alsof ik nergens van wist. Het was ook verstandig. Je moest eens weten wat Donna van Kelly heeft gehoord. Heb je echt de pest aan je oudste zoon?'

Rockne zag Henry Faulk voor zich die zat te wiegen achter zijn bureau. Hij zag Doris die haar hoofd schudde. Waarschijnlijk hadden ze Moto ingelicht, voor het geval hij toch contact zou opnemen. 'Ben jij ooit reisleider geweest?'

'Jaren. Ik heb in Europa gewoond ook. Waarom zou ik liegen? Dus ik heb naar je staan kijken toen je bij caravans was?'

'Denk van wel. Niet dat het uitmaakt, ze zijn er even dood om. Denk je dat je ze zo ver uit de buurt kunt krijgen dat de politie van Monroe County morgen niet naar ons op zoek gaat?'

'Waarom zou ik dat doen?'

'Omdat ik hoop dat het in je takenpakket zit, en omdat je vingerafdrukken overal te vinden zijn. Heb je Donna en de kinderen echt in de Grand Resort & Beach Club gestopt?'

'Nee,' zei Art.

'Had ik ook niet verwacht,' zei Rockne. 'Zorg jij voor die twee in hun caravan, dan heb ik mijn handen vrij voor Cooper. En voor Kelly. Ze staat weer in de deuropening. Ik zal zeggen dat ik je geholpen heb Donna en de kinderen weg te brengen, maar ik denk dat het een lange nacht gaat worden.'

Art stapte uit en boog zijn bovenlichaam naar binnen. 'Zou je op me hebben geschoten?'

'Waarom niet?'

Art knikte. 'Je weet dat ik een opdracht heb? Dat ik in je buurt moet blijven?'

Rockne stopte het pistool weg. 'Bel ze maar om te zeggen dat ik mezelf kan redden.'

Art keek over zijn schouder naar de motelkamer. Er lag een tevreden trek op zijn gezicht toen hij zich opnieuw naar Rockne boog. 'Als dat echt zo is, heb je nu de kans het te laten zien. Ken je het woord "vertoornd"? Er komt een vertoornde vrouw op je af.'

Het woord 'vertoornd' had voor Rockne geen betekenis. 'IJzig' wel. IJzig in combinatie met iets wat hij hield voor angstige grimmigheid.

'Dus jij zat in de Metro. Ik zit alleen in die rotkamer en jij zit buiten in een auto.'

'Met Art.'

'Alsof dat het beter maakt. Ik zit in mijn eentje en jij zit vijftig meter verderop met de buurman te kletsen. Ik heb aangeklopt,' Kelly liep de kamer in en gaf een klap tegen de tussenmuur, 'dáár. Niemand reageerde. Donna niet, zelfs de kinderen niet. En ik hier maar zitten.' Ze plofte op het bed, worstelde zich rechtop en begon te huilen, heel rustig, met kleine snikjes en grote tranen die op haar nachthemd drupten. 'Ik heb gedroomd. Daarnet, gedroomd dat Margrit dood geboren werd.'

'Margrit?'

'Zo moet ze heten, Margrit. Ik lag daar maar en jij was weg. Iedereen was weg en toen kwam Margrit, zomaar, *plop* daar was ze, helemaal schoon en met kleertjes aan, maar wel dood.'

Rockne ging naast Kelly zitten en sloeg een arm om haar heen. Ze maakte een beweging of ze zich los wilde rukken, bedacht zich kennelijk en legde haar hoofd tegen Rocknes schouder. 'Zeg dat het niet waar is.'

'Tuurlijk is het niet waar. Het was een droom.'

'Of voorzienigheid, hoe heet dat, dat je ineens in de toekomst kijkt.'

'Dat heet onzin.' Rockne zei het zo krachtig als hij durfde. 'Je hebt verkeerd gelegen of zoiets, en toen heb je gedroomd. De ene keer droom je dat je ergens naartoe moet, maar dat je benen niet vooruit willen, de andere keer dat je in een put valt of in een tunnel die naar beneden loopt.'

'Ze keek zo lief naar me, maar toch was ze dood.'

Rockne liet haar los en ging een glas water halen. 'Drink maar. Kleine slokjes. Ik zag Art toevallig en ik wilde je niet storen. Donna zit in een ander motel, dat was hij aan het vertellen.'

Afleiden, over iets anders praten, hij zag dat het hielp. 'Art zei dat jij aan Donna had verteld dat je naar huis wilde. Toen zei Donna dat ze niet in dit motel wilde blijven. Er liepen kakkerlakken over het bed, geloof ik, ze schrok zich een ongeluk en wilde weg.'

'Kakkerlakken?' Kelly's ogen flitsten door de kamer.

'Art kent iemand van een hotel een eind verderop en daar heeft hij Donna en de kinderen naartoe gebracht. Hij kwam terug om het ons te vertellen, maar ik zag hem en ik dacht: laten we maar even in de auto praten.'

'Ik heb drie keer geplast en niet één keer lag jij in bed.'

De angst begon plaats te maken voor verontwaardiging, Rockne zag het met voldoening. Boosheid kon hij de baas, met stil huilen wist hij geen raad.

'Ik weet waar MacMac woont.'

De verontwaardiging veranderde in belangstelling. 'Jij?'

'Ik. Op Knight Key, vlak bij de zevenmijlsbrug, je bent er vandaag over gekomen.'

'Hoe...'

'Ik het weet? Gewoon. Vragen. Bij de receptie, bij de benzinepompen verderop, in de supermarkt. Iemand zei dat hij iemand kende die wist wie MacMac was. Reeves Cooper, bedoel ik. Hij wist niet precies waar Cooper woont, niet in welke straat, maar Knight Key is zo klein dat ik hem heus wel vind.'

'Jij?'

Twee keer 'jij' op een toon van: hoe bestaat het. Rockne vond dat het tijd werd voor verontwaardiging. 'Ik, ja. Het lijkt wel of je denkt dat ik niks kan.'

Kelly veegde haar wangen droog en plukte aan het nachthemd. 'Dat zeg ik toch niet. We zouden hiernaartoe gaan en iemand van je werk zou je helpen. Ik dacht dat ze een soort detective zouden sturen, iemand die weet hoe je mensen opspoort.'

'Ze hebben Art Flaming toch gestuurd?'

Daar werd ze stil van.

'Toch, Art?' Ze vroeg het toonloos.

'Hij verzorgt de excursies voor zakenlui die het bedrijf willen bekijken en hij regelt reizen voor de directie. Vroeger was hij een soort detective. In het leger deed hij opsporingswerk. Hij was aan vakantie toe en in Richmond zeiden ze: "Ga Rockne maar een handje helpen, kun je meteen je familie meenemen."'

Ze was over haar eerste verbijstering heen. 'Waarom hebben ze dat dan niet gezegd? Donna niet, Art niet.'

'Dat heb ik hem gevraagd, daarnet in de auto. Hij zei dat jij het misschien leuker zou vinden als ik MacMac zou opsporen. Anders zou het lijken alsof hij me...' Rockne fronste zijn voorhoofd, hoe maak je verdomme zo'n zin af, 'nou ja, aan de hand had.'

Kelly keek alsof ze er geen woord van geloofde. 'Of heb jij soms gezegd dat hij dat moest zeggen.'

Rockne voelde opluchting. Zo kon het ook. 'De eerste dag. Ik dacht...' Hij probeerde verlegen te kijken. Niemand zou erin trappen, maar Kelly herkende de blik. En de bedoeling.

'Jij dacht dat ik je anders een slappeling zou vinden. Een slome.'

'Watje,' zei Rockne. 'Raar hè, ik dacht: ik zoek die vent zelf wel, daar heb ik geen hulpje van twee meter voor nodig.' Hij ging rechtop staan. 'Het is gelukt. Ik heb hem gevonden.' Hij zag Kelly kijken. 'Jíj hebt hem gevonden. In dat park. Maar ik ben achter zijn adres gekomen.'

'Dus ga je hem zoeken.'

'Morgen. Eerst breng ik je naar het vliegtuig. Of wil je dat ik je naar huis breng?'

Hij zag Kelly strijden: samen naar huis of haar geld terug.

'Breng me maar naar het vliegtuig,' zei ze. 'Zo vroeg mogelijk. Ik wil naar de jongens.'

Tegen de ochtend, na een nieuwe plasronde, stootte Kelly Rockne aan. 'Voel es.'

Hij legde een hand op haar buik. 'Ze schopt.'

'Ze lééft.'

'Ja,' zei Rockne. 'Ze leeft. Zei ik toch. Ga nou maar slapen, over een paar uur rijden we naar het vliegveld.'

Hij was bijna in slaap toen hij opnieuw een por kreeg. 'Ik ben blij dat je in Richmond werkt.'

Hij had geen idee wat ze bedoelde.

'De Fertilizer Company. Ik heb het altijd gek gevonden, weet je dat.'

Hij wist het.

'Niks voor jou, zo'n bedrijf, maar ze zorgen goed voor je.'

Hij dwong zich om niets te vragen. Wat ze bedoelde. Wie voor hem zorgde. Wat er goed aan was.

'Die vrouw, Doris, zomaar bij de jongens, en Art hier. Ik hoop dat hij blijft.'

Hij wist wel zeker dat Art zou blijven.

'Ik bedoel: je bent hier toch voor jezelf bezig, voor ons, niet voor de zaak.'

Zo zou Faulk het zeker zien.

'Uiteindelijk is het maar dertigduizend dollar.'

Maar dertigduizend dollar?

'Je hoeft het niet terug te halen om mij te tonen wat je voor me overhebt of zo, dat weet je toch?'

Het was een zienswijze waar hij geen seconde aan had gedacht.

'Ik weet het,' zei hij. 'Het komt allemaal goed. Ga maar slapen.'

Kelly drukte zich tegen hem aan. 'Lekker.'

6

Het adres van Reeves Cooper vinden was geen probleem. Het stond in de *Yellow Pages*: Reeves R. Cooper, ondernemer. Een goede omschrijving, vond Rockne. Hij wou dat hij er zelf aan had gedacht: Rockne Paradise, ondernemer. Hij schreef het adres over, keek naar een vliegtuig dat net was opgestegen van Miami Airport en vroeg zich af of Kelly erin zat. Ze had een uur moeten wachten voor de Boeing van us Airways naar Philadelphia vertrok. Ze was van plan met de bus naar Baltimore te gaan om geld te besparen. 'De verhuizing kost al zoveel, Rockne, en we zijn al zoveel geld kwijt.' Het was duidelijk wat ze bedoelde, maar Rockne had precies goed gereageerd, Art zou trots zijn geweest. Hij had Kelly een zoen gegeven, langs haar gezicht geaaid en gezegd: 'Ik haal het terug.'

'Samen met Art?'

'Als je dat geruststelt, samen met Art.'

'Ga dan maar gauw,' had Kelly gezegd, 'waarom zou je nog een uur verliezen. Het kostte al zoveel tijd om hier te komen.'

Dat had hij gedaan, gauw weggaan. Hij had een keer omgekeken voor de vorm en was bijna op een holletje naar de Metro gelopen.

In het centrum had hij het adres van Cooper gezocht en toen hij het drie keer had gelezen, had hij zich afgevraagd waarom hij naar Tavernier was gestuurd. Doris had gezegd dat hij in Tavernier een goede kans maakte en hij had niet eens gevraagd wat ze bedoelde met 'een goede kans'. In zijn vak wist je iets of je wist het niet. Aan goede kansen deed je niet. Faulk wist het, Doris wist het. Toch had ze hem naar Tavernier gestuurd en niet naar Kyle Way West op Knight Key. Misschien zou Doris kunnen vertellen wat de reden was, maar waarschijnlijk zou ze zeggen dat hij bij Faulk moest zijn en Faulk sprak niet over zaken via de telefoon. Hij zou naar zijn kale kantoor moeten, op de stoel tegenover het bureau moeten zitten en zich ergeren aan het gewieg van Faulk, die uiteindelijk zou zeggen dat hij een middelman was en geen hulp voor medewerkers met privé-problemen.

Aan die dingen dacht Rockne nadat hij het adres van Reeves Cooper had overgeschreven en hij voelde zich er niet lekker bij. Er klopte iets niet, maar hij had geen idee wat het kon zijn.

Hij haalde zijn schouders op, trakteerde zich op een kop koffie bij Starbucks en reed terug naar Key Largo. Pas toen hij van auto had gewisseld en in de Buick Marathon zat, had hij het gevoel dat hij zichzelf weer was: Rockne Paradise, in zijn eentje, op weg naar een karwei.

Het huis van Reeves Cooper lag ongeveer in het midden van Kyle Way en was het kleinste en laagste in de straat. Een verdieping lichtblauw hout met eromheen een groene veranda met rode palen. Het dak bestond uit groen asfaltpapier dat aan vervanging toe was. Het was een wonder, vond Rockne, dat het de orkanen van de afgelopen jaren had overleefd. Of misschien hadden orkanen medelijden met het minihuis dat oud stond te zijn te midden van huizen die glommen alsof ze twee keer per jaar werden geschilderd.

Hij parkeerde de Buick tussen twee palmen zonder kroon en vroeg zich af of hij zou aanbellen. Gewoon bellen, goedemiddag zeggen en vragen of hij zijn geld terug mocht, waarom zou je het moeilijker maken dan nodig was. Hij trok het portier weer dicht toen hij twee vrouwen zag die voor de deur werden afgezet. Ze staken een hand op naar de man die wegreed en liepen naar de voordeur. Ze bewogen alsof ze pret hadden, hand tegen de keel, vuist tegen de maag, vooroverbuigend vanuit het middel, elkaar aanstotend. Toen Rockne het raam op een kier draaide, hoorde hij ze lachen. De vrouwen hadden een leeftijd van in de twintig, de vrouw die een minuut later kwam was tien jaar ouder, de twee die volgden waren moeder en dochter, zelfde spoeling, zelfde ronde gezicht, zelfde dikke nek. Allemaal lachten ze, of keken ze alsof de lach het volgende punt op het programma was. Na zeven vrouwen stapte Rockne uit.

'Ik zoek Reeves Cooper,' zei hij tegen nummer acht, een lange vrouw die een baby tegen de borst gedrukt hield. 'Ze zeiden dat hij hier woont.' Hij wees naar het huis. 'Er gaan steeds vrouwen naar binnen, dus ik dacht...'

Hij dacht niets en liet daarom de zin sterven. De vrouw drukte de baby tegen zich aan, terwijl ze proestlachte. 'Ik zou niet naar binnen gaan als ik u was.'

'Omdat?'

De vrouw blies speekselbelletjes over de baby. 'Omdat u het niet leuk zult vinden. En wij ook niet.'

Rockne kon volstaan met verbaasd kijken.

'Tupperware,' zei de vrouw. 'Er is een Tupperware Party van Eileen, dat is de vriendin van Cooper. Wij willen er geen mannen bij, dus ik weet wel zeker dat Reeves er niet is.'

'Waar is-ie dan wel?'

De vrouw lachte nog steeds, Rockne kon zich niet herinneren dat hij ooit zoveel vrouwen zo vrolijk had gezien. Een Tupperware Party moest een hoogtepunt zijn op Knight Key.

'Ik zal het Eileen even vragen. Blijf hier maar staan, u wilt echt niet naar binnen.'

Toen ze terugkwam was ze zonder baby. Ze zag eruit zoals Rockne zich haar had voorgesteld, lang en plat, maar nog steeds vrolijk.

'Op de brug,' zei ze. 'Hij vist, of zoiets.' Ze wees. 'Niet de Seven Miles Bridge, maar die ernaast. De oude. Waar je niet met de auto op mag. Ga maar kijken. Hij is op de fiets, dus hij zal vast niet vooraan staan.'

Rockne moest meer dan een mijl lopen voor hij een man met een leren hoed zag. De man stond wijdbeens op de Old Bridge, die Pigeon Key met Little Duck Key verbond voor een orkaan hem te pakken had genomen. Hij had een hengel in zijn handen en stond met zijn rug naar de Seven Miles Bridge een eindje verderop. De auto's die erover reden maakten een geluid dat het aflegde tegen dat van de meeuwen en de motorbootjes die van de Atlantische Oceaan naar de Golf van Mexico voeren. En te- rug. En weer heen. Rockne had zin om te spugen, elke keer als een boot onder hem door voer.

Hij ging naast de man staan en zuchtte van opluchting toen hij een neusgat zag dat een stukje uitgescheurd leek. 'Zijn lin- kerneusgat is wijder dan zijn rechter.' Zo had Kelly het gezegd en het was precies zoals hij had verwacht: het rechterneusgat was het grootst, niet omdat het was opgerekt maar omdat er een stukje aan ontbrak, net of er een klein hapje uit was geno- men.

'Dag,' zei Rockne.

De man bleef naar het water kijken.

'Ik zei: "Dag",' zei Rockne.

De man haalde zijn schouders op. 'Ik hoorde je.' Hij had een zachte stem, vriendelijk, bijna zoals de stem van Art Flaming.

'Ik ben komen lopen van Knight Key,' zei Rockne.

De man keek opzij. 'Is een roteind.'

Rockne zag twee blauwe ogen en vroeg zich af hoeveel man- nen op Knight Key ongelijke neusgaten hadden. '"Voor Reeves Cooper moet je op de brug zijn," zeiden ze. "Hij vist." Waar vis je op?'

'Haaien.'

'Zijn die hier dan?'

De man keek alsof hij een weddenschap met zichzelf had ge- wonnen. 'Waarom denk je dat ik niks heb gevangen?'

Geen reden waarom iemand met een vriendelijke stem geen klootzak zou zijn, dacht Rockne. 'Ze zeiden: "Je moet een eind lopen, want Reeves Cooper heeft een fiets." Daar staat een fiets. Ben jij Cooper?'

'Dat hangt ervan af,' zei de man.

'Van wat?' vroeg Rockne.

'Van wie jij bent.'

Rockne legde zijn armen op de brugleuning. Net film. Daarin zeiden ze ook 'Dat hangt ervan af,' of ze zeiden 'Misschien', maar ze waren het altijd. 'Jij bent Cooper. Als je je andere neusgat heel wilt houden, dan zeg je "ja" en dan noem je je voornaam.'

'Ja,' zei de man. 'Reeves Cooper.' Hij klemde zijn hengel vast en deed een stapje achteruit.

'Niet slaan,' zei Rockne. 'Slaan brengt je niet verder.' Hij tilde zijn shirt op en liet de kolf van de Vector zien. 'Tegen een pistool kun je niet op. Ik kom voor mijn geld. Geef het en ik ben...'

Hij hield op omdat Cooper begon te huilen.

'Doe je het voor mij of voor jezelf?' vroeg Rockne na een paar minuten. 'Voor mij hoeft het niet. Ik heb ze vaker zien huilen. Mijn oudste zoon doet niet anders en soms doet de jongste mee. Mijn vrouw huilde gisteren nog. Ze had gedroomd dat er iemand doodging. Dikke tranen, net als die van jou, alleen maak jij er geen geluid bij, dat scheelt.'

Hij sprak zonder zijn stem te verheffen, zonder te bewegen. De tranen van Cooper deden hem niets. Huilen op een hete middag op een oude brug, als je een vorm van tijdverspilling zocht, dan was het een goede.

Cooper hield op met schokschouderen en veegde over zijn gezicht. 'Het viel te proberen.' Hij zei het met een verontschuldigend lachje.

'Omdat het je een keer is gelukt?'

'Bij vrouwen vrij vaak.'

'Omdat je iets met je ogen doet en je jezelf Mac MacDough noemt. Was het maar MacMoney geweest, mevrouw, dat was nog toepasselijker geweest.'

'Het werkte, oké? Lazer nou maar op. Ga maar zeggen dat ik blut ben. Waarom denk je dat ik hier sta te doen of ik vis? Omdat ik geld genoeg heb maar me geen raad weet met mijn tijd? Weet je in wat voor huis ik woon?'

'Ja,' zei Rockne.

Cooper kreunde. 'Ben je daar geweest? Bij Eileen? Omdat je geld van me wilt?' Hij legde de hengel op de grond en kwam een stapje dichter bij Rockne staan. Een klein stapje. 'Wat zei ze? "Alsjeblieft, geld zat?"'

'Ik zou het niet weten,' zei Rockne. 'Ze heeft een Tupperware Party. Dat zei een vrouw met een kind aan de borst. Ze giebelde.'

Cooper keek op zijn horloge, mompelde: 'Zo laat al,' en deed iets wat in de buurt van grinniken kwam. 'Zei ze dat? Tupperware?'

Rockne knikte.

'Tupperware,' herhaalde Cooper en hij keek over de Golf van Mexico alsof hij in de verte iets moois zag. 'Weet je wat het echt is?'

Rockne zei niets en Cooper wees naar zijn kruis. 'Voorbinddildo's, glijmiddelen, condooms met een doorsnee van een decimeter, vrouwencondooms. Ze heten anders en ze zien eruit als een trampoline voor een poppenhuis. Daar verdient ze haar brood mee, Eileen. Denk je dat het uit luxe is? Dat hok waarin ik nu woon was een halfjaar geleden mijn kantoor. Een postadres met houten wanden eromheen. Nu is het alles wat ik nog heb, en als Eileen genoeg rotzooi verkoopt, dan kunnen we de airco laten draaien. Ik zit aan de grond, voor het geval je de boodschap niet hebt meegekregen. Ik heb geen geld voor je, deze keer niet, niks verdiend, niks om aan je te geven. Ga dat maar aan je baas vertellen, en als je daar geen zin in hebt, dan gooi je me maar over deze brugleuning, als ik het lef had sprong ik zelf.'

'Aan wie moet ik het gaan vertellen?'

Cooper opende zijn mond, sloot hem met een klap en bekeek

Rockne alsof hij hem voor de eerste keer zag. 'Wie ben jij?'

'Aan wie vertellen?'

Cooper schudde zijn hoofd. 'Vergeet het maar. Ik heb me vergist. Ik had het meteen moeten zien. Jij bent te klein, te...' Hij overwoog of hij het woord waar hij aan dacht zou durven uitspreken, 'gewoon.'

Onbetekenend, dacht Rockne. Dat bedoelt hij eigenlijk. Hij durft het niet te zeggen omdat ik een pistool heb. 'Jij bent bang voor iemand die grote jongens in dienst heeft?'

Cooper pakte zijn hengel en liet de draad door zijn vingers lopen. 'Ga maar weg. Ik ken je niet, dus ik kan je naam niet noemen. Wat mij betreft ben je hier niet geweest. Ga weg en laat me vissen. Dat is het beste voor ons alle twee.'

'Ik ga weg als ik een naam heb waar ik iets mee opschiet of als ik dertigduizend dollar van je heb gekregen. Niet eerder.'

Cooper kneep zijn ogen samen en bekeek Rockne opnieuw. 'Dertig?'

'Geen cent minder.'

'Gisteren...'

'...vroeg mijn vrouw je om die dertigduizend. Je maakte een afspraak en je liet haar barsten.'

'Ze zei dat ze met een vriendin was.'

'In dat parkje, bij het water. Ik was even een biertje drinken. Je liet haar zitten en dat zit haar niet lekker.'

'Jou ook niet.'

Rockne maakte zich groter. 'Mij zit wel meer niet lekker. Dat je mijn vrouw dertigduizend dollar liet betalen voor een goudmijn in, hoe heet het daar verdomme ook weer...'

'Suriname?'

'Suriname. Vijfduizend winst na een maand of drie. Als ze nog twintigduizend aan je gaf, dan zou ze pas echt rijk worden.'

Cooper legde de hengel weer neer en ging zitten. 'Weet je dat het werkte? Het was een goudmijn, dat verhaal. Ik had een vrouw, mooier dan je je kunt voorstellen, ik had drie auto's, een huis zo groot, dat wil je niet weten. Toen werd iemand jaloers en nu zit ik hier, op een brug met naast me een fiets, zonder vrouw, maar met een vriendin die in een klein kolerehuis op Knight Key dildo's zit te verkopen aan vrouwen uit de buurt die de spannendste middag van het jaar hebben. Ze heeft ook blotemannenvideo's, Eileen, je zou ze moeten zien. Als het zo doorgaat word ik een van de acteurs, heb ik weer wat te eten.'

Hij keek hulpeloos naar Rockne, ging zitten en verborg zijn hoofd tussen zijn handen.

'Zit je nou alweer te janken?' vroeg Rockne. Hij had een paar minuten naar boten staan kijken en naar de auto's die over de Seven Miles Bridge reden, ongeveer evenveel naar Key West als naar Key Largo, allemaal met de ramen dicht en de airco aan. Op de Old Bridge stond een windje dwars over, maar Rockne had liever airco gehad. En wat te drinken.

In de tas naast de fiets van Cooper zat een thermosfles. Rockne liet iets van de inhoud op zijn hand lopen en rook. IJsthee. Hij keek naar Cooper, die zich niet had bewogen, nam een slok ijsthee en huiverde; een smeriger drankje was niet te krijgen.

Hij gooide de thermosfles over de railing en gaf Cooper een schopje tegen een schoen. 'Ik vroeg of je zit te janken.'

'Ik vraag me af,' zei Cooper zonder op te kijken.

'Waar je dertigduizend dollar vandaan haalt?'

'Wat het allemaal voor zin heeft.'

'Dat je hier zit?'

'Alles. Wat alles voor zin heeft.' Cooper keek met een oog tussen zijn vingers door. 'Ik heb geen cent, maar jij wilt dertigduizend dollar.' Hij bewoog zijn schouders. 'Gooi me maar achter mijn thermosfles aan.'

Rocke vroeg zich af hoe Cooper dat van die fles had gezien, hij wist zeker dat hij met zijn rug naar hem toe had gestaan. Door de plons? Hij schudde zijn hoofd. Niet door de plons. Door op te letten.

'Helpt het, zielig doen? Eerst ga je huilen, en als dat niet werkt speel je zielig?'

Cooper stond op. 'Ik heb er succes mee gehad.'

'Net als met die lenzen?'

Cooper voelde aan zijn neus. 'Keken ze altijd naar, de vrouwtjes. Voor ik deze neus had, was het enige wat ze van me onthielden dat ik ogen in twee kleuren had. Dat, en de dasspeld. Zie je niet vaak meer, dasspelden. Ik heb vandaag één kleur ogen omdat ik vrij ben.'

'Behalve je ogen en je speld had je die naam. Twee keer Mac.'

'Van MacDough keek niemand op, maar bij Mac MacDough zag je ze reageren. Het werkte geweldig.'

Rockne wist dat Cooper gelijk had. Als hij met een karwei bezig was deed hij voorzettanden in, of plakte hij haar onder zijn neus. Liefst iets te lang of scheef geknipt, geef ze iets wat opvalt en ze vergeten verder alles. 'Bij mij werkt geen enkele truc.' Hij wees naar de leuning. 'Spring over de rand en kijk wat ik ga doen.'

'Niets?'

'Je fiets pakken. Het is een eind lopen naar mijn auto. Vertel eens over je geld en waar het is gebleven. Met je vrouw mee?'

'Wat schiet ik ermee op als ik het vertel?'

'Dat je heel blijft. Ik kan ook een gat in je schieten, mij maakt het niet uit.'

Cooper liet zijn ogen naar de weg flitsen, ging zitten en wees naast zich. 'Wat heb ik te verliezen. Ik zou niet blijven staan, het is een heel verhaal.'

Rockne verschikte zijn pistool en zocht een plekje tegen een paal. 'Vat het maar samen, zo nieuwsgierig ben ik niet.'

'Het ging goed tot in Fort Lauderdale, een maand of wat geleden. Ik deed het veldwerk, mijn broer werkte via internet.'

'Broer in Tavernier?'

'Malcolm. Mel. Hij werkte samen met een vriend. Mailtjes maken en versturen. Duizenden, miljoenen, ik weet niet hoe ze het deden, maar ze deden het. Mijnen werkten het beste, zilver, goud, diamant. "Als één op de miljoen sukkels reageert, dan zitten we gebeiteld," zei mijn broer toen we begonnen. Hij had gelijk. We zaten gebeiteld. Het ging zo goed dat een vriend van mijn broer mee ging doen. Gene heet-ie, Gene Davies. Ik ging dus het land in. Naar de vrouwtjes.' Hij keek snel opzij. 'Sorry, maar zo was het en zo blijft het. Zoek een vrouw die alleen is, glimlach, wees vriendelijk en beschaafd, zeg dat je vooral niemand iets wilt opdringen en voor je het weet heb je zakengedaan.'

'Zoals die dertigduizend dollar.'

Cooper maakte een bezwerend gebaar. 'Dat was mazzel, meestal was het minder. Eentje per week, soms twee, maar met een halve ton in de maand kwam ik wel weg.'

'Tot in Fort Lauderdale.'

'Tot daar. Pracht van een vrouw. Aardig ook nog, vriendelijk.' Hij glimlachte. 'Haar kamer hangt vol met foto's van haarzelf, je zou het eens moeten zien.'

'Fotomodel?'

'Gelukkig niet. Met dat figuur was ze er veel te mooi voor. Ik had durven zweren dat ze ongetrouwd was, nergens was een foto van een man te zien.'

'Die bleek er wel te zijn?'

'Een vriend. Colombiaan. Hij zei dat hij Luiz heette en stak twee vingers in mijn neus. Hij hield me een poosje omhoog en liet me daarna uitleggen hoe ik werkte.' Cooper keek verontschuldigend. 'Ik ben geen held. Ik ben...'

'Ondernemer?'

'Precies. Ondernemer. Bezoeker.'

'Omluller.'

'Wat je wilt. Maar geen held. Ik vertelde hoe ik werkte en Luiz stuurde iemand met me mee om Mel en Gene ervan te overtuigen dat we werknemers waren geworden. Eerst kregen we tien procent, later vijf. Nog later had-ie iemand die de internetklus overnam. Mel moest zijn huis verkopen. Gene werd uit het zijne gegooid. Ze zitten nou in oude caravans in Tavernier en zuipen zich klem.'

'Af en toe ga jij bij ze kijken?'

'Beetje opruimen. De was doen. Toen je vrouw me zag, had ik de was van Mel en Gene bij me. Als ik niet een beetje voor ze zorg...'

'Je hebt nog steeds een baan, en een vriendin.'

'Die had ik al, die vriendin. Nog een reden voor mijn vrouw om me het huis uit te gooien. Soms ga ik wel eens kijken. Grootste huis van Tavernier, daar zit ze. Ze verdomt het om een keer iets voor Mel te doen, ook nog. Dat doe ik dus. En 95 procent van mijn geld afdragen, dat doe ik ook. En op deze klotebrug doen of ik sta te vissen als Eileen vrouwen in huis heeft om naar vibrators te kijken, of naar elkaar, je moest eens weten.' Hij keek Rockne recht aan. 'Wil je nog steeds dertigduizend dollar?'

'Nee,' zei Rockne. 'Ik ben tot tranen geroerd. Nog even en je krijgt alles wat ik heb. Laat me maar achter in mijn blote kont. Aan wie geef jij die 95 procent? Aan die Colombiaan?'

'Luiz? Die heb ik nooit meer gezien. Er kwam iemand die zei dat hij de zaak had overgenomen. Val Connell heet-ie. Ik betaal hem of het mannetje dat hij stuurt. Ik dacht dat jij namens Val kwam, voor het tot me doordrong dat hij ze liever groot heeft.'

'Waar woont-ie, Val?'

Cooper drukte zijn rug tegen de leuning. 'Hoezo?'

'Omdat hij mijn geld heeft en wij het gaan halen.'

'Wij?'

'Uhuh.'

Cooper haakte zijn armen om twee spijlen. 'Schiet me dan maar dood.'

'Met plezier,' zei Rockne. 'Niemand zal je missen. Ik zeker niet. Maar eerst zeg je waar ik Val Connell kan vinden.'

'Als ik het zeg, help je me dan?'

Dit keer had Cooper geen aansporing nodig gehad, maar

Rockne had wel drie volle minuten naar het water staan kijken. 'Met wat?'

'Met wegwezen. Ik ken vrouwtjes in bijna alle staten. Ik kan er zo wel vijftien noemen die me in huis nemen. Zonder vragen. Vrouwtjes die staan te juichen als ik kom.'

Elke keer als Cooper 'vrouwtjes' zei zag Rockne Kelly voor zich. Ze was niet groot, Kelly, maar ze was geen vrouwtje.

'Als je nog een keer "vrouwtje" zegt, dan hang ik je met je goede neusgat aan een handvat van je fiets.'

'Oké,' zei Cooper haastig. 'Oké. Vrouwen. Ik ken er genoeg.'

'Wat houdt je tegen? Eileen?'

Cooper haalde zijn neus op.

'Je broer?'

Cooper vertrok zijn gezicht. 'Ze weten alles van me.' Hij draaide zich naar de doorgaande weg en volgde met zijn ogen een pick-up. 'Misschien weten ze al dat we staan te praten. Misschien zit in die pick-up wel iemand die Val Connell belt om te zeggen dat ik sta te praten met een onbekende.'

'Misschien niet.'

'Ze weten alles van me. Ik heb een keer geprobeerd geld achter te houden. Tienduizend verdiend en vijfduizend in mijn zak gestoken.' Hij draaide zijn rug naar Rockne en trok zijn shirt op. 'Vijftien keer. Drie voor elke duizend.'

'Met een zweep?'

'Bullepees. Weet je wat dat is, een bullepees?'

Rockne zei dat hij het wist, maar dat hielp niet.

'Een stierenlul, vertelden ze. Die laten ze drogen, dan kun je er beter mee slaan. Ze weten in welke motels ik overnacht, wat ik doe, alles, en ik heb geen idee hoe ze het klaarspelen. Ik kan alleen weg als Connell...' Hij keek naar Rockne terwijl hij met een hand langs zijn keel sneed. 'Snap je wat ik bedoel?'

'Wat zou je d'r van zeggen als je daar eens werk van ging maken?'

'Met jouw hulp?'

'Ik wil dertigduizend dollar,' zei Rockne. 'Een beetje meer als het kan, want ik heb kosten gemaakt. Misschien help ik je een handje. Jij brengt mij naar Val Connell, ik geef jou de kans te doen wat je wilt doen. Weet je dat je broer gisteravond niet in zijn caravan was?'

De overgang was te groot. 'Mel?'

'Vanmorgen ook niet. Zijn caravan was leeg en die van zijn vriend ook. Zou je niet eens vragen hoe dat volgens mij komt?'

Cooper vroeg niets. Hij keek naar het water, naar de blauwe lucht, naar Rocknes middel. 'Als je mij dat pistool geeft, dan krijgt die zak wat hij verdient. Oké?'

Rockne liep naar de fiets. 'Vertel onderweg maar wat ik weten moet. Ik fiets. Ik heb dat kolerestuk al een keer gelopen.'

7

Halverwege Marathon had Rockne het gevoel dat hij werd gevolgd. Op Long Key wist hij het zeker. Drie auto's achter hem reed een Dodge RAM die niet dichterbij kwam als hij remde en niet achteropraakte als hij gas gaf. Het was een beroerde manier van volgen en in gedachten zag Rockne Art Flaming zweten.

Flaming baarde hem geen zorgen, wel de vraag hoe hij wist waar Rockne was en in wat voor auto hij reed.

Het was een probleem, maar het was aanzienlijk kleiner dan het probleem dat naast hem zat. In je eentje werken was toch maar je ware. Rockne was niet iemand die vaak bij zijn beroep stilstond, maar de laatste jaren had hij de neiging het eenzaam te vinden. Je zag nog eens wat van het land, je kwam op plaatsen waar je nooit van had gehoord, maar je was altijd alleen en in een café kon je nooit lekker praten over de dingen van de dag. Een paar maal had het geleid tot iets wat in de verte leek op somberheid. Rockne zat zich nu te verbazen over dat idiote gevoel. Alleen zijn was geweldig, eenzaamheid een zegen. Reeves Cooper zat deze stelling te bewijzen door middel van reeksen kleine zuchtjes, bewegingen alsof hij niet in de stoel paste, geluiden die op snikjes leken en met aanzetten tot zinnen.

Met dat laatste was hij begonnen zo gauw ze in de Buick zaten. Rockne had drie keer moeten zeggen dat hij stilte wilde, de laatste keer gevolgd door het optrekken van zijn shirt waardoor de greep van de Vector zichtbaar werd. Cooper had drie keer 'ja' gezegd voor hij begreep dat ja zeggen ook praten was.

Vanaf Boot Key was hij stil, maar daarmee loste het hoofdprobleem zich niet op: hoe kwam Rockne van hem af?

Dumpen in de Everglades was het makkelijkst, maar helemaal bevallen deed het idee niet. Rockne had nooit iemand vermoord zonder dat hij er geld voor kreeg of verwachtte dat hij er geld voor zou krijgen. De dood van Gene Davies was nodig geweest om uitzicht op Kelly's dertigduizend dollar te behouden, maar Cooper was op geen enkele manier een gevaar. Hij was een man die aan de grond zat en die weg wilde, Alaska of zo, liever nog Hawaii, overal naartoe als het maar ver was en hij zeker wist dat Val Connell hem niet zou kunnen vinden. Het hele stuk naar de Buick had hij erover lopen vertellen, op een holletje naast de fietsende Rockne. Zelfs tussen het hijgen door had Rockne het effect van Coopers stem gehoord, zacht, vriendelijk, met iets van overreding. Wie een stem had als Cooper kon niet liegen, dat was het gevoel dat Rockne kreeg. Hij kon zich voorstellen dat Kelly was bezweken en dat in een dozijn staten vrouwen zaten te wachten tot Reeves Cooper zou langskomen.

Bij de Buick had Cooper erop gestaan dat zijn fiets op slot werd gezet.

'Voor als we terugkomen.' De klank had iets bezwerends gehad, alsof hij zichzelf overtuigde dat hij zijn fiets zou terugzien.

Rockne had geknikt. 'Als je terug wilt. Misschien wil je wel naar Oregon, of naar Maine.'

'Maar eerst naar Fort Lauderdale.'

'Als Val Connell daar zit, dan wordt het Fort Lauderdale.'

'Daar zit Luiz. Ik weet hem te wonen. Hij kent Val. Ik ken hem ook, maar niet van huisbezoek.'

'Stap nou maar in.'

'Ja. Hoe heet jij ook alweer? Ik kan je achternaam maar niet onthouden. Een bijzondere voornaam, dat weet ik wel. Iets gewoons, maar dan net een beetje anders.'

Het was de eerste directe vraag geweest en Rockne had het gevoel gehad dat Cooper over de ergste angst heen was. Zijn houding had iets te betekenen, maar Rockne had geen idee wat het was en of het kwaad kon. Voor alle zekerheid legde hij uit wat hij zou doen als Cooper bij een stoplicht uit de auto zou springen. 'Kogel in je kont. Denk niet dat ik er tegen opzie. Zo hard is de knal van een Vector niet, en ik heb je terug in deze auto voor je serieus begint te bloeden. Dat duurt een paar seconden, neem dat maar van mij aan, het is niet zoals op de televisie.'

Cooper had 'Goed, meneer' gezegd en op dat ogenblik besefte Rockne dat het niet mee zou vallen hem in een mangrovebos in de Everglades te leggen.

Op de brug naar Islamorada wist Rockne zo'n beetje wat hij moest doen, en hoe eerder hij ermee begon hoe beter. Hij legde een hand op een schouder van Cooper en drukte. 'Zak es wat onderuit?'

Cooper bewoog zijn mond. 'Mag ik praten?'

Rockne knikte.

'Waarom? Onderuitzakken, bedoel ik.'

Rockne drukte harder. 'Hou toch maar je mond. Als ik zeg "onderuit", dan bedoel ik onderuit. Hoofd weg van het raam.' De Buick had getinte ruiten, maar je wist nooit. 'Hoe minder mensen je zien hoe beter.'

Een eindje verder zei hij: 'Verderop zijn zijwegen. Ik sla straks af en zoek een plek in de schaduw. Jij stapt uit en gaat in de kofferbak liggen.'

Cooper zakte verder onderuit. 'Niemand kan me zo zien.'

'Ik moet boodschappen doen,' zei Rockne. 'Daar kan ik je niet bij gebruiken. Als je in de kofferbak gaat liggen woelen, dan rij ik deze Buick in de oceaan. Met jou erin.'

Op de parkeerplaats van het Motor Budget-motel op Key Largo bleef Rockne een tijdje naar de Buick staan kijken. De auto bewoog niet, het gekreun van Cooper, dat tijdens het rijden had geklonken als een monotoon achtergrondgeluid, was opgehouden.

Rockne liep langs de achterkant van het hotel naar de hoofdweg, grinnikte toen hij de Dodge RAM in de verte zag staan en werd rood toen hem iets te binnen schoot.

Reeves Cooper had zijn mobieltje tegen een oor toen Rockne de kofferdeksel openzwaaide.

'Vertel je met wie je belt of sla ik eerst?'

'Eileen.' Cooper keek schuldbewust en drukte met een vinger op een knop. 'Dat ik niet thuiskom voorlopig. Anders wordt ze ongerust.' Hij liet de telefoon vallen en maakte zich klein. 'Ik doe het niet weer.'

Rockne greep het mobieltje en bekeek het adresboek. Eileen onder de E. Mel onder de C. Gene onder de D.

'Ik gebruik de achternamen,' lichtte Cooper toe. 'Behalve bij Eileen, die heet gewoon Eileen. Mel Cooper. Zijn vriend heet Davies, of heb ik dat al verteld? Gene Davies. Verder mocht ik niks in het adresboek zetten van Connell. Hij controleerde dat.'

Rockne keek onder 'gekozen nummers' en zag dat Coopers verhaal klopte. 'Heb je ooit met Connell gebeld?'

Cooper bewoog zijn hoofd en trof een colablik. 'Au. Nee. Ik heb zijn nummer niet. Hoe lang moet ik hier blijven? Het stinkt naar stront, een beetje, maar steeds meer.' Hij probeerde over de rand van de bak te kijken. 'Waar zijn we eigenlijk?'

Rockne drukte de kofferdeksel dicht en bekeek het mobieltje. Cooper was een probleem aan het worden dat steeds groter werd.

Rockne legde de telefoon op de grond en ging er met een hak op staan. Wie denkt er nou aan een mobieltje? dacht hij. Het antwoord was: ik niet, en dat zat hem dwars.

De receptioniste had wallen onder de ogen en zoveel water in haar ooghoeken dat het haar moeite kostte Rockne scherp in beeld te krijgen. 'Slaap,' zei ze. 'Ik sta hier de hele dag in mijn uppie en ik word nog verkouden ook. Ik dacht dat u weg was.' Ze boog zich naar voren. 'U bent toch van die zwangere mevrouw met heimwee naar de kinderen?'

'Ik was weg. Mijn vrouw is het adres van de buren kwijt. De

buren hier, bedoel ik, van kamer 102. Art en Donna Flaming. Ik dacht: misschien kunt u me helpen.'

De receptioniste tikte met twee vingers op de balie. 'U weet dat ik dat niet mag?'

Rockne probeerde te glimlachen en tegelijk vertrouwelijk te kijken. Aan het gezicht van de receptioniste te zien was het geen succes. 'Schoenen,' zei hij. 'Ze zijn gisteren naar Key West geweest, Kelly en Donna. Ze hebben schoenen gekocht. Rooie en dure, meer weet ik er niet van, maar die van Donna zijn bij ons blijven staan en Kelly zei: "Geeft niks, we hebben haar adres," maar dat adres was zoek enne... nou...' Rockne spreidde zijn armen. 'Wat mij betreft gaan die schoenen in een afvalbak, maar mijn vrouw zei... Snapt u?'

De receptioniste snapte het. 'Ik heb ze samen gezien,' zei ze. 'Uw vrouw en die mevrouw met de drie kinderen. Dikke vrienden. Even kijken.' Ze tikte op toetsen. 'Mevrouw heeft afgerekend...' Ze keek vragend naar Rockne en liet een vinger boven een toets zweven.

'Bujold. Donna Bujold.'

'Die.' De vinger ging naar beneden. 'Ze wonen op Sunny Island, dat is aan de noordkant van Miami. Sunny Isles Boulevard, nummer 643, ik hoop voor haar dat het dicht bij de oceaan is, de westkant is niet best, ik weet waar ik het over heb, m'n zus woont in Sunny Isles.'

'Is het niet vlak bij Hollywood?'

De receptioniste keek zuinig. 'Het is maar wat je vlakbij noemt. Sunny Isles ligt nog in Dade County, Hollywood in Broward. Heel ver is het niet, maar ik zou het niet lopen.' Ze glimlachte. 'Zoals u er gisteravond uitzag na dat joggen! Ik dacht: hij krijgt er wat van.'

Rockne perste er een glimlach uit. 'Ik ben nog stijf. Dank u en succes.'

'Met wat?' vroeg de receptioniste. Ze nam niet de moeite een hand voor haar mond te houden toen ze moest gapen.

Voor hij de motor startte riep Rockne dat het niet lang meer zou duren. 'Even maar, dan laat ik je eruit.' Het antwoord klonk gesmoord. 'Warm.'

Rockne zette de airco hoger en reed de Buick achteruit. Art Flaming had gelogen over de woonplaats van Donna. Art Flaming had geweten dat Rockne op Knight Key was. Art Flaming was hem gevolgd en stond een eindje verderop te wachten. Drie punten waar Rockne niet gelukkig mee was. Aan de positieve kant stond dat Art Flaming blijkbaar de lichamen van Mel Cooper en Gene Davies had weggewerkt. Als de politie de lijken had ontdekt, had de receptioniste het geweten, en had ze erover gesproken. Twee lijken op een paar mijl afstand, het zou het gesprek van de dag zijn geweest.

Hij reed weg toen Reeves Cooper iets klaaglijks riep, reed een eindje in de richting van Key West en draaide in Tavernier het smalle Harbor View in. Geen drukte bij de caravans aan de andere kant van de hoofdweg. Geen Dodge RAM.

Hij wachtte vijf minuten en reed terug. De Dodge was niet te zien, precies zoals Rockne had verwacht.

Reeves Cooper was meer dood dan levend toen Rockne hem aan de zuidkant van Leisure City uit de kofferbak liet stappen. Hij liep stram als een oude man naar voren en stak bereidwillig zijn polsen vooruit toen Rockne een paar handboeien liet zien. Hij had twee paar gekocht in de Adult Video Outlet in Key Largo, waar een graatmagere vrouw had geprobeerd films aan hem te slijten. Pas toen Rockne 'Ze houdt alleen van handboeien' had gezegd, had ze de films terzijde geschoven. Terwijl ze de handboeien in een plastic zak deed, blies ze een blauwe bel van kauwgum die knapte. Toen ze 'Nou, dag dan maar' zei, zag Rockne een blauw streepje over haar neus.

'Benen optrekken,' zei hij.

Cooper deed het en liet zich de boeien omleggen. Hij kreunde toen Rockne ze aandrukte, maar zei pas iets toen de Buick in beweging kwam. 'Drinken?'

Rockne gaf hem de cola die in de kofferbak had gelegen en wachtte tot Cooper was uitgeboerd. 'Probeer niet de auto uit te rollen of te huppelen. Denk aan die kogel in je kont. Zitten, mond houden en hoofd weg van het raampje.'

Cooper knikte en keek rond. 'Zijn we niet meer op de Keys?'

'Richting Fort Lauderdale.'

'Heb je gekeken bij je weet wel?'

'Caravans? Ik zag twee mannen. Geen politie. Misschien heb ik me vergist.'

Het gezicht van Cooper doorliep verschillende stadia van verwarring, opluchting, woede. 'Je zei...'

'Wees blij. Ik heb gezegd dat ze er niet waren.'

'Je suggereerde dat ze...'

'Ga op de terugweg maar kijken. Eerst hebben we iets te doen in Fort Lauderdale. Daarna kun je naar Tavernier gaan, of naar Canada, het is mij om het even.'

Cooper keek alsof hij iets heel fraais aan de horizon zag, zuchtte en liet zich onderuitzakken. 'Je zei... De manier waarop... Ik wist zeker dat je bedoelde...'

Rockne draaide de *turnpike* op en voegde in. Cooper zou teruggaan naar Knight Key, naar Eileen met haar glijmiddelen en opblaaspoppen, hij zou gaan vissen en dromen van vrouwtjes die op hem zaten te wachten. Rockne begreep niet hoe Cooper zo lang kans had gezien uit handen van mannen als Luiz en Val Connell te blijven.

8

'Woont hij hier?' Rockne keek naar een huis van drie verdiepingen dat op een van de kunstmatige eilandjes lag in het kanalendeel ten zuiden van de Middle River. Het huis stond op een kavel van een paar duizend vierkante meter en had over de gehele breedte een steiger. Er lagen een jacht, een motorboot en twee jetski's aan. In het huis brandde overal licht, hoewel het nog lang niet donker was. Op het terras rond een niervormig zwembad dromden mensen.

'Feest,' zei Cooper. Hij rinkelde met de boeien toen hij wees. 'Die daar is Luiz. Naast het zwembad, nou loopt hij naar de steiger.'

'Die kleine?'

'Ooit een lange Colombiaan gezien?'

'Is Val Connell er ook?'

Cooper boog zich voorover tot zijn voorhoofd de ruit raakte. 'Zie hem niet.'

Rockne trok hem achteruit. 'Weg van de ruit, ik dacht dat ik dat had gezegd.'

'Sorry,' zei Cooper.

Samen keken ze naar de mensen op het terras, allemaal klein en bruin, allemaal gekleed alsof ze op een bruiloft waren.

'Feest?' vroeg Rockne.

'Hoeft niet. Op de Keys heb ik tientallen feesten gezien. De meeste van Cubanen. Voor een verjaardag kleden ze zich alsof de president op bezoek komt.'

'Misschien is Luiz hun president.'

'Ga daar maar van uit. Toen hij mij te pakken nam, had hij mannen in zijn buurt die "Ja, meneer V" zeiden en "Nee, meneer V". Ze maakten er bijna een buiging bij.'

'Vee?'

'Dat is een achternaam. Toen mijn neus bloedde, gaven ze me een handdoek waar "Luiz Vee" op geborduurd was.'

Rockne leunde achteruit en keek naar de volwassenen die het huis in en uit liepen, en naar de kinderen die speelden in een hoek van de tuin waar een schommel was en een glijbaan. 'Hoe lang doe je dit werk al?'

Cooper keek hem met grote ogen aan. 'Waar heb jij het over?'

'Goudmijnen, zilvermijnen. Mensen oplichten. Dat werk.'

'Zes jaar. Het laatste jaar was het beste. Tot Luiz mijn neus scheurde. Luiz Vee.'

'Zes jaar. Maar te stom om te zien dat dat geen huis is om aandelen in mijnen te gaan slijten?'

'Certificaten,' zei Cooper. 'Niks aandelen. Je denkt toch zeker niet dat ik hier kwam? Ik deed de appartementen aan de kust, achter Atlantic Boulevard. Veel vrouwen alleen daar, de meeste met een erfenis.'

'Of een suikeroom?'

'Dat dacht ik toen ik bij de vriendin van Luiz was. Vriende-lijke vrouw, tenminste, ze lachte en ze zei dat ze erg geïnteres-seerd was. Ze zei dat ze Cheryll heette, met een C en dubbel l. Volgens mij was ze begonnen als Sophie, maar als ze koffie in-schonk bukte ze zich meer dan nodig was, dus wat kon de naam me schelen? Toen ik de volgende dag terugkwam stond Luiz bij de deur, met achter zich twee mannen, even klein als hij, maar de een met een revolver en de ander met een honkbalknuppel. Luiz tilde me op.'

'Aan je neus.'

'Later nam hij me mee naar zijn huis. Ik heb een nacht in zijn kelder gelegen. "Niks aanraken," zei hij. "Dure wijnen." Ik heb niks aangeraakt.'

'Is zijn vriendin op het feest?'

Cooper lachte honend. 'Zie je dat kleine, kromme vrouwtje

daar? Ik dacht dat het de oppas van de kinderen was, maar iedereen sprak met twee woorden tegen haar. Volgens mij is het mevrouw Luiz. Dat meisje achter de glijbaan is hun dochter. Moet je zien hoe ze erbij loopt.'

Alsof ze communie had gedaan. Witte jurk met petticoat, band met bloemen in het haar. Witte kousen, schoentjes met hakken die net niet hoog waren en overal strikken en strikjes.

'Ik weet wel zeker dat Luiz zijn vriendinnen een eind uit de buurt houdt,' zei Cooper. 'Moeten we hier niet eens weg?'

Ze stonden op een van de bruggen die de eilandjes met elkaar verbonden. Voor en achter stonden geparkeerde auto's. Een enkele keer kwam iemand in het uniform van een parkeerwacht er een halen. Als hij naar Rockne en Cooper keek, dan deed hij het tersluiks.

'Auto's van de feestgangers,' zei Rockne. 'Het is verboden te parkeren, maar ik heb geen politieauto gezien. Zolang Luiz zich niet aan ons stoort is er niets aan de hand. Die pvc-buizen, links en rechts, en die lage bakken, waar zijn die voor?'

'Vuurwerk. Nooit een Cubaans feest gezien? Dat gaat door tot laat in de avond, misschien tot vroeg in de ochtend. Aan het einde is er vuurwerk. In die bakken zitten mortieren, zo noemen ze die dingen. Vier keer zes buizen met een diameter van twaalf centimeter. De mortieren zitten in de buizen, vierentwintig stuks dus. Als ze worden afgestoken lijkt het of het oorlog is. In de kokers links en rechts zitten waarschijnlijk fonteinen. Mooi spul, ze lijken op vuurspuwende vulkanen. Ergens zullen ook wel lawinepijlen liggen. In de Rockies veroorzaken ze er lawines mee als de sneeuw in de weg hangt. De pijlen zullen aan deze kant van het kanaal terechtkomen. Ze zeilen zo over de boten van Luiz de tuinen van de omwonenden in. Je moet niet gek opkijken als er ook hier en daar een ruitje sneuvelt. Ga er maar van uit dat Luiz het hier voor het zeggen heeft.'

Rockne knikte maar zei niets. Hij keek tot hij zeker wist dat hij met zijn ogen dicht door de tuin van Luiz zou kunnen lopen zonder zich te stoten.

'Kun jij met dat jacht overweg?'

Cooper schrok op. 'Ik dacht dat je sliep. Jacht? Ik ben geboren op de Keys. Wat dacht je?'

'Leg dan eens uit wat ik moet doen om die boot aan de praat te krijgen. Vertel het maar langzaam. Ik ben niet zo handig met boten.'

Cooper nam er de tijd voor, en terwijl hij uitlegde zag Rockne het donker worden. In de tuin gingen schijnwerpers aan die het voorste deel van het terras in een helder licht zetten. Het achterste deel van het zwembad bleef duister, de bakken met vuurwerk stonden in het deel waar het aardedonker was. De steiger met de boten was niet meer te zien. Net buiten de rand licht stonden twee grote barbecues. Rockney kon niet zien wat erop lag, maar hongerig makende luchten deden zijn maag krimpen.

'Snap je het met die boot?' vroeg Cooper na drie herhalingen.

'Uhuh,' zei Rockne. Hij had honger.

'Ga je naar hem toe?'

'Luiz?'

'Wie anders.'

'Heeft hij mijn dertigduizend dollar of heeft Connell ze?'

Cooper maakte een gebaar dat vertwijfeling uitdrukte. 'Weet ik niet. Ik denk Connell.'

'Dan vragen we dus geen geld aan Luiz.'

'Nee,' zei Cooper. 'Wat doen we dan wel? Zijn jacht stelen?' Hij huiverde. 'Ik geloof dat ik liever heb dat je me hier doodschiet.'

'Eerst moet je me laten zien waar de vriendin van Luiz woont,' zei Rockne. 'We hebben haar nodig.'

En Art Flaming. Die had hij ook nodig. Het had geen zin Reeves Cooper in zijn buurt te houden als die geen nut meer had. Neerschieten was het beste, maar Rockne kon zich er niet toe zetten, hij was er verbaasd van. Omdat je niet echt aan het werk bent, hield hij zichzelf voor. Omdat je geen cent voor hem krijgt. Daarom.

Cheryll zag eruit zoals Rockne verwachtte dat ze eruit zou zien. Lang en slank, blond haar, lange wimpers, rozerode lippen, veel hals en maten waar ze nooit mannequin mee had kunnen worden omdat prettig ogende maten nog steeds uit de mode waren. Ze droeg een wit shirt, een witte spijkerbroek en beige Reeboks, of gebroken witte Reeboks, Rockne had het verschil tussen beige en gebroken wit nooit begrepen.

Ze had de deur opengedaan nadat Reeves Cooper in het volle zicht van het kijkglas was gaan staan en had gekeken alsof hij net was geslagen.

'Boodschap voor Val Connell,' zei Cooper toen de deur op een kier was. Rockne drukte vanaf de zijkant de Vector in Coopers kruis en voelde hem omhoog komen. 'Ik ben van Key Largo komen rijden, maar ik weet niet waar Val woont en bij Luiz kwam ik er niet in. Hij heeft een feest en ik heb geen uitnodiging. Ze zitten achter hem aan, achter Val, Luiz ook. De politie. Een paar doden in Tavernier.'

Hij hield zich precies aan Rocknes tekst en zijn mimiek was die van iemand die een pistool tegen zijn ballen voelt.

De ketting ging van de deur en Rockne kreeg de tijd om Cheryll te bekijken. Hij nam er de tijd voor en zij vond het best. Ze maakte geen opmerking tegen Cooper, ze vroeg niet waarom Rockne een wapen in zijn hand had, ze liet zich bewonderen.

'Klaar?'

De stem paste bij de figuur, Rockne voelde zich jaloers worden op Luiz. 'Ja,' zei hij.

'Vertel dan maar wie je bent en wat je komt doen.'

'Ik ben iemand die dertigduizend dollar krijgt.'

'Van Luiz?'

'Of van Val Connell, mij maakt het niet uit. Ik heb geen adres van Val, dat is het probleem. En Luiz is te druk.'

Cheryll trok een gezicht. 'Druk, ja. Zijn vrouw is jarig. Luiz noemt haar "Moeder" of "Mammie". Allemaal zijn ze er. Behalve ik.'

'En Connell. Ik heb niet één blanke gezien.'

'Dat wil mammie niet. Kan ze niet mee praten, met blanken. Ze spreekt geen woord Engels. Waarom heb jij steeds je handen op je rug?'

Cooper draaide zich om en keek smekend over een schouder. 'Ze doen pijn.'

Cheryll maakte een gebaar naar Rockne. 'Hij ziet er niet uit of hij iemand kwaad doet. Maak hem los, dan gaan we erbij zitten.'

'Straks,' zei Rockne. Hij bekeek de foto's die in de hal hingen, langs de trap, in het gangetje naar de woonkamer, in de woonkamer zelf. 'Had je niet beter een spiegel kunnen kopen?'

Cheryll glimlachte. 'Ik heb de maten niet, maar iedereen zegt dat ik mooier ben dan die fotomodellen. Hoe vind je ze?'

In de woonkamer alleen al hingen twintig Cherylls.

'De moeite waard,' zei Rockne. 'Ik zou er zenuwachtig van worden als ik mezelf steeds naar me zag kijken.'

'Ik word er opgewekt van.' Cheryll wees naar buiten. 'Zee is ook maar water. Maak hem los en ga zitten. Ik was bezig in mijn eentje een verjaardag te vieren, maar de stemming kwam er niet in. Wat denk je van een wijntje?'

Rockne begreep waarom ze blosjes op de wangen had. Geen rouge, maar drank. Onder het tafeltje in de hoek lagen twee lege flessen, op het tafeltje stond een halflege.

Rockne pakte het tweede paar boeien. 'Ik maak jou liever eerst even vast, dat geeft me een veiliger gevoel. Van voren, zodat je nog steeds een glas kunt vasthouden.'

'O,' zei ze. 'O.' Ze keek niet bang, het was meer een blik van: dit hebben we al eerder meegemaakt.

'Dus het is voor dertigduizend dollar,' zei Cheryll nadat Rockne had verteld waarom hij was langsgekomen. 'Weet je hoeveel Vee op een dag verdient? Tien keer zoveel, minstens een paar miljoen per week.'

'Zegt hij.'

'Zal het de helft zijn, dan nog. Weet je wat hij met je gaat doen als hij hoort dat je hier was en dat je me hebt geboeid?'

'Wat dan?'

Ze keek naar Cooper. 'Dat met die neus was een aardigheidje. Wat Vee een aardigheidje noemt. Waarschijnlijk hangt hij jou aan een vleeshaak. Ondersteboven. Als je verstandig bent, maak je me los en ga je weg. Van mij hoort hij niks, ik ben een verjaardag aan het v... vieren, shit, heb ik zoveel op?'

'Een fles of drie. Geef me dertigduizend dollar en ik ben weg.'

Ze lachte schamper. 'Van mij?'

'Van Vee. Van Connell. Het maakt mij niet uit.'

Ze haalde haar schouders op en zakte achteruit op de bank met een bloemetjesmotief. Haar kleren hadden ook vage bloemetjes, net als het behang. Rockne vond het verbazingwekkend dat er geen echte bloemen in de kamer waren.

'Hou je niet van bloemen?'

Ze volgde zijn blik langs de wanden, de gordijnen, de stoelen, en keek of ze voor de gek werd gehouden. 'Bedoel je dat? Ik heb de pest aan bloemen, ze vallen uit. Ik heb ook de pest aan het behang en de meubels, maar V... Vee v... vindt het mooi. Alles is hier anders dan bij hem thuis. Zegt hij.'

'Je zou het niet weten?'

'Ik ben nooit verder gekomen dan de oprit. Weet je al wat je gaat d... doen?'

'Ja,' zei Rockne. 'Mijn dertigduizend dollar halen. Waar is je telefoon?'

In het adresboek stonden Luiz V. en Val Connell. Er stonden er tientallen meer en Rockne bedacht dat vijanden van Luiz waarschijnlijk meer dan dertigduizend dollar zouden overhebben voor de gegevens. Hij besloot het mobieltje te gelde te maken als hij er de tijd voor had.

'Ga je bellen?' vroeg Cheryll. 'Je weet dat Luiz meteen ziet dat je met mijn telefoon belt. Als hij wil, kan hij ook zien waar je vandaan belt.'

Rockne keek verbaasd en bezorgd. Daar had hij eerder aan moeten denken, veel eerder, het was het antwoord op een paar vragen die hij zich had gesteld. Hoe het kon dat Connell altijd wist waar Cooper was. Hoe Art Flaming hem wist te vinden op Knight Key. Mobieltjes. Zenders. 'Waarom vertel je me dat?'

Cheryll schonk in en nam een slok. 'Als v... verjaardagscadeautje. Omdat het f... feest is. Van F... Felicia, zo heet ze, de vrouw van Luiz. Dat V... Vee lang gelukkig moge blijven met Felicia en zijn etters van kinderen.' Ze verslikte zich en hoestte. 'Dat weet ik van V... Vee. Dat het etters zijn. Ik heb ze nooit gespr... sproken. Hij wordt gek van die twee, en van Feliz, die er meer wil.'

'Daarom komt hij af en toe hier.'

Ze kneep haar ogen samen. 'Elke dag, schat. Elke verdomde dag. Je hebt gelu... geluk dat-ie fee... fee... shit... feest heeft. Ik zou maar opschie...', ze hikte, 'schieten.'

Dat zat Rockne ook te bedenken. Hij stond op en gaf Cooper een teken. 'Kom mee, we gaan een bezoek afleggen, waarschijnlijk twee.'

'We?' Cooper wees van Rockne naar hemzelf.

'Wij drieën,' zei Rockne. Hij hielp Cheryll overeind. 'Ben je lenig?'

Ze maakte een kniebuiging en viel. 'Va... vandaag even niet.'

'Pech,' zei Rockne. 'Dan zal ik je moeten vouwen.'

'Volgens mij wordt ze misselijk,' zei Reeves Cooper. 'Hoor maar. Er hangt een strontlucht in de kofferbak.'

Rockne hanneste met een plattegrond van Dade County. 'Kijk even mee. Ik wil via de I-95.'

'Waar naartoe?'

'Als je blijft ouwehoeren stop ik je bij Cheryll. De oprit moet vlakbij zijn.'

'Daar,' zei Cooper.

Een paar minuten later zei hij: 'Volgens mij ligt ze te kokhalzen.'

'Ik ruik het,' zei Rockne. 'Wat een geluk dat dit mijn eigen auto niet is.'

De flat van Donna Bujold aan de Sunny Isles Boulevard was ver genoeg van de zee om geen last te hebben van de welgestelden die alles wat bewoonbaar was opkochten en uitbouwden tot miljoenenoptrekjes. Ze woonde op de zesde verdieping, en om er te komen moesten Rockne en Cooper door een wolk hasj die werd veroorzaakt door een jong stel dat op de galerij zat, zij met een baby op schoot, hij met een hond. Ze zeiden dag toen Rockne dag zei, keken naar de handboeien van Cooper en namen een trekje.

'Waar gaan we naartoe?' vroeg Cooper.

'Heb je al gevraagd,' zei Rockne. 'Doe het nog eens en ik duvel je over de rand.' Hij bleef staan voor nummer 643 en drukte op de bel.

Donna deed open, uit de woonkamer klonk het gehuil van een kind, gevolgd door een mannenstem.

Rockne voelde zich kilo's lichter worden. Soms had je geluk. 'Dag,' zei hij. 'Ik was Art kwijt en ik had je om zijn adres willen vragen, maar ik hoor het al. Mogen we binnenkomen?' Terwijl hij het vroeg, liep hij de gang in.

'Wie is dat?' Donna stond met haar rug tegen de muur gedrukt en keek met grote ogen naar de boeien van Cooper.

'Reeves Cooper,' zei Rockne. 'Hij is de man die aandelen aan Kelly verkocht.'

'Certificaten,' fluisterde Cooper.

Rockne legde een vinger tegen Coopers mond. 'Dicht houden. Helemaal dicht. Geen woord tot ik het zeg.' Hij liep naar de kamer en knikte naar Art Flaming. 'Ik was je kwijt.'

Flaming at iets wat op pap leek. Hij had een arm om het bord gelegd om te voorkomen dat het kind tegenover hem mee ging eten en keek schuin omhoog. 'Was dat niet de bedoeling, dat je me kwijt zou raken?'

'Nu niet meer,' zei Rockne. Hij wees naar Cooper. 'Ik moet van hem af en ik wil hem niet naast de weg leggen. Morgen mag hij bellen met wie hij wil, vandaag niet. Kun jij hem ergens onderbrengen?'

Art keek naar Donna, die een kind met natte wangen tegen zich aan trok. Rockne dacht dat het de oudste was, maar hij had geen idee meer van de naam. Kind twee zat aan tafel. Het derde was niet in de kamer.

'Niet bij mij,' zei Donna. 'Ga maar naar je eigen huis.'

Art knikte. 'Als hij daar het goedvindt.'

'Ik vind het best,' zei Rockne. 'Ik heb een paar uur nodig, meer niet.'

'Wat ga je doen?'

'Luiz bellen,' zei Rockne. 'Ik ga hem zeggen dat ik zijn vriendin heb en dat ik haar bij zijn jarige vrouw aflever als hij niet tegen Val Connell zegt dat die me dertigduizend dollar moet komen brengen. Als hij tegensputtert of flink gaat doen, dan leg ik een blik benzine in zijn jacht. Zullen we eens zien of er een mooi vuurwerk komt vanavond.'

Art verslikte zich in de pap. Cooper werd bleek en probeerde op de been te blijven door op een stoel te steunen. Donna streek over het gezicht van haar zoon. 'Ik dacht wel dat het niet zo makkelijk zou zijn als je beloofde,' zei ze. Ze keek naar Art, en Rockne moest denken aan Kelly als die het op haar heupen had. Waarschijnlijk was het al zover. Vlak voor ze op het vliegveld door de douane ging, had ze gezegd: 'Bel je me als ik thuis ben?

Dan kan ik je vertellen hoe het huis is, en de kamer voor Margrit, en... en alles.'

Hij had 'ja' gezegd, op de automatische piloot, maar in de wetenschap dat hij, als hij niet belde, beter thuis kon komen met dertigduizend dollar.

Cheryll zag eruit of ze drie dagen in een put had gelegen. Rond haar gezicht zaten resten braaksel en een bruin goedje dat Rockne niet meteen kon thuisbrengen. Haar haren zaten aan elkaar geklit en elk stukje huid was overdekt met zweet.

Ze gromde en grauwde toen Rockne haar uit de kofferbak trok en ze beet alleen niet omdat ze haar energie nodig had om frisse lucht naar binnen te zuigen. 'Stro...', hijgde ze. 'Stront. Daar. Een plastic zak met lappen... Stront.' Ze wreef over haar mond en keek naar haar hand. 'Dat ook?' Ze kokhalsde. 'Moet je... zien. Allemaal...'

Rockne maakte haar handen los en draaide de dop van een fles water. 'Spoel je mond en maak je een beetje schoon. Het is pindakaas.'

Grote ogen. 'Echt?'

'Met een luchtje, zodat het stront lijkt. Echt waar.'

Ze keek over de fles heen naar Rockne. 'Waarom?'

'Doet er niet toe. Maak je schoon.'

Ze liet water over haar gezicht stromen en veegde haar mond schoon met haar shirt.

'Ik voelde een doe... doek. Ik had overge... overgegeven... door de lucht van stront en ik... voelde die doek.' Ze was over haar verbijstering heen en de woede kwam terug. 'Weet je wat Vee met je gaat doen? Niet aan een vleeshaak hangen, o nee. Dat ga ik doen.' Geen spoor van dronkenschap meer, geen enkel woord met een dubbele tong. Ze stond rechtop, priemde met een vinger tegen haar borstbeen en vertelde Rockne hoe ze de vleeshaak zou gebruiken. '*Vleeshaken*, aan één heb ik niet genoeg. Maakt niet uit waar je heen gaat, Luiz gaat je vinden.'

Rockne bewoog geen spier tot ze uitgeraasd was. Ze stonden op een industrieterrein aan de westkant van Fort Lauderdale en er was ruimte om te schreeuwen.

'Klaar?' vroeg hij toen Cheryll buiten adem was. Hij liet de kolf van zijn Vector zien. 'Als je geluk hebt, dan haal je de ochtend, dat is alles wat ik voorlopig zeg. Steek je handen uit.'

Ze maakte een beweging met haar handen, aarzelde en trok haar shirt uit. 'Elke keer als ik ademhaal ruik ik een strontlucht.' Ze stak haar handen naar voren. 'Toe maar, als je zo nodig moet. En kijk maar goed.'

Rockne deed haar eerst de boeien om en keek toen pas. Het was een tegennatuurlijke volgorde en hij wist niet of het domheid was of een ijzeren zelfbeheersing.

'Gezien?' vroeg Cheryll. Er lag iets van trots op haar gezicht. Ze zag er niet uit, maar toch... 'Ik hoop dat je kunt rijden met mij zo naast je. Of moet ik...' Ze deinsde achteruit en haar gezicht was vol angst. 'Niet daarin. Alsjeblieft.'

Rockne pakte haar mobiel. 'Blijf staan waar je staat. Eerst gaan we bellen. Jij begint. Zeg maar tegen Luiz dat ik echt dertigduizend dollar wil. En of hij Val Connell ervan wil overtuigen dat ik het meen.'

Cheryll schudde haar hoofd. 'Doet-ie niet.'

'Omdat hij geen zeggenschap over Connell heeft? Ik heb gehoord dat ze partners zijn.'

'Vee is de baas. Niet de grootste baas, maar wel de baas van Lauderdale. Hij doet alles wat gekleurd is, Cubanen, Colombianen, alles met -anen, alles. Connell doet de blanken, daarom kreeg hij dat mannetje dat zo zielig kan kijken, die Mac Mac-Dinges die Cooper heet. Heb je hem...'

'Hij leeft,' zei Rockne. 'Maak je over hem geen zorgen. We hebben hem niet meer nodig. Dus Luiz is zo'n beetje de baas van Connell, maar hij geeft Connell geen opdrachten.'

'Niet voor dit. Vee geeft geen geld onder dwang. Dat maakt een slechte indruk.'

'Ook niet voor jou?'

Cheryll sloeg haar handen tegen haar keel en rilde toen de handboeien haar borst raakten. 'Jij zei dat je hem gezien had, thuis, op dat feest. Heb je een meisje zien lopen?'

'Opgetuigd alsof ze ging trouwen?'

'Kleine Felicia. Ze is ontvoerd geweest. Losgeld een paar ton, maar Luiz heeft niet betaald. Zijn vrouw smeekte hem erom, maar hij deed het niet. "Maakt een slechte indruk op het personeel," zei hij. Hij ging naar de ontmoetingsplaats met een koffer oude kranten. Wat er is gebeurd weet niemand, maar hij kwam terug met zijn dochter. Niemand zal nog een vinger naar haar uitsteken.'

'Bel toch maar,' zei Rockne. 'Leg dramatiek in je stem. Ik wil wel eens horen wat hij te zeggen heeft.'

'Lieve schat,' zei Cheryll, een octaaf hoger dan ze tegen Rockne had gesproken. 'Help me, ik ben...'

'Niet nu.'

'...gekidnapt.'

'Niet vandaag.'

'Hij wil geld.'

'Ik zei...'

'Van Val.'

'Niet. Van. Daag.'

Cheryll ging zitten en drukte haar handen tegen haar ogen. 'Rotzak,' fluisterde ze. 'Rotzakken. Jij ook. Jullie allemaal. Hier.' Ze gooide haar hoofd in de nek en legde haar handen op haar kruin. 'Kijk maar. Dat willen jullie. Kijken en pakken. Maar als we iets vragen...' Ze huilde, met lange halen en zonder haar blik een moment van Rockne af te wenden.

Hij voelde iets wat in de buurt kwam van verlegenheid, haalde zijn schouders op en zei: 'Misschien hebben we meer aan Connell.'

'Barst jij maar.'

Rockne ging naast haar zitten en overwoog of hij een arm om haar heen zou slaan. Het leek hem, bij nader inzien, geen geschikt moment. Hij bleef zitten tot ze opkeek.

'Ga je me doodschieten?'

Het was ongeveer het enige waar Rockne zin in had. Cheryll doodschieten, Cooper doodschieten en daarna wachten tot het ochtend was, naar de bank gaan, dertigduizend dollar van een van zijn rekeningen halen en tegen Kelly zeggen dat hij het had geregeld, waarom had hij daar niet eerder aan gedacht.

'Je moet Connell bellen.' Er schoot hem iets te binnen. 'Waar woont hij eigenlijk?'

Haar huilbui had plaatsgemaakt voor nieuwe boosheid. 'Jij weet niet veel, hè?'

Rockne was het met haar eens. Wat hem dwarszat aan het detective spelen was dat hij te weinig wist. Gebrek aan kennis in combinatie met onzekere factoren, het was nieuw voor hem en het beviel niet. Hoe langer hij bezig was, hoe meer genoegen hij beleefde aan denken over zijn echte vak. Een naam krijgen, een foto, een plaats, een tijd, en daarna je gang gaan. Gewoon kijken waar je doel was. Je doel. Niet de man of de vrouw. Je had een doel, je keek welke gewoonte het had en naargelang de om-standigheden schoot je, of stak je, of gebruikte je drugs, hij had een keer een vrouw gedood door haar onder haar auto te leggen. Krik weg, vrouw dood. Moet je maar niet in je eentje aan je auto gaan prutsen.

'Waar woont hij?'

'Vlak bij Vee. Twee eilandjes verder. Zelfde soort huis, zelfde soort auto, zelfde soort boten, alleen ietsje kleiner – iets, zeg ik, veel mag het niet schelen. De pikorde van haantjes.' Ze zei het zonder een spoor van minachting. Zo was het, zo hoorde het. 'Ze kunnen elkaar zien als ze willen. Ze kunnen met elkaar pra-ten zonder mobiel, ze hoeven niet eens echt te schreeuwen.'

'Maar dat doen ze niet, met elkaar praten vanuit hun tuin.'

'Nooit. Ze praten zacht, in een kamer die niet kan worden

afgeluisterd.' Ze peuterde aan haar gebit. 'Weet je zeker dat het pindakaas was?'

'Toch is Vee niet de grote baas.'

'Wel in Lauderdale. En omgeving. Tot tegen West Palm Beach aan. Daar zit zijn ene broer, Vincente. Zijn andere broer doet de Keys.'

Rockne ging rechtop zitten. 'Vertel es?'

Ze reageerde op zijn stem. 'Heb ik iets bijzonders gezegd?'

'Je moest eens weten,' zei Rockne. 'Hoe heet die broer?'

'Steve. Eigenlijk Silvio, maar hij noemt zich Steve.'

'Vee?'

'Vaca. Zo heten ze allemaal. Vincente, Luiz, Steve. Allemaal Vaca. Is er iets mee?'

Ja, dacht Rockne. Er is iets mee. De wereld zit mooier in elkaar dan ik eigenlijk dacht. Ik denk niet dat ik naar de bank hoef morgenochtend.

9

'Geen tijd,' zei Steve Vaca.

'Als je de verbinding verbreekt, ben je dood,' zei Rockne. Hij belde met het mobieltje van Cheryll, die met een bezorgd gezicht toekeek. Haar telefoon had niet het nummer van Steve Vaca in het adresboek gehad. Het feit dat Rockne het uit zijn hoofd wist, gaf haar te denken.

'Hè?' zei Steve Vaca.

'Ik zei: als je de verbinding verbreekt, dan ben je dood. Waarschijnlijk vandaag nog. Zorg dat ik je broer aan de lijn krijg. Luiz. Aan Vincente heb ik niks.'

'Wie denk je dat je bent?'

'De man uit het noorden. Je bent over me gebeld door Philadelphia, oké?'

'Geen idee waar mijn broer is.'

Rockne grijnsde. Hij legde een hand over de telefoon en keek naar Cheryll. 'Is Steve op het feest van Luiz?'

Ze knikte.

'Zeker weten?'

Ze knikte opnieuw.

'Silvio, zit niet te kloten. Loop naar je broer en zeg dat-ie aan de lijn komt.'

'Of anders...?'

Rockne hoorde dat Steve het lacherig probeerde te zeggen, maar geen kans zag om de bezorgde ondertoon uit zijn stem te krijgen.

'Anders gaat er straks een appartement in de brand. Eentje aan de kust. Waarschijnlijk zit er iemand in van wie de vrouw van Luiz liever geen foto's ziet.'

Cheryll gaf een kreet die hard genoeg was en Rockne maakte

een sussend gebaar. Hij gaf er een knipoog bij, maar zag dat het niet hielp.

'Je gaat eraan,' zei Steve Vaca. 'Vannacht nog. En morgen die zwangere vrouw van je, en...'

Dit keer was Rockne tevreden over zijn lach. Schamper, met de juiste ondertoon van spot.

'Als ik binnen vijf tellen Luiz niet aan de lijn heb, vraag ik Ricky Gendler of-ie met Philadelphia wil bellen. 'Eén...'

Hij haalde de drie.

'Ja.'

'Luiz?'

'Ja.'

'Ik krijg dertigduizend dollar van Val Connell.'

'En?'

'Bel die hufter. Zeg dat-ie met dertigduizend dollar in zijn zak naar je toe komt. Je hoort wel wat je daarna moet doen.'

'Is Cheryll bij je?'

Een spoortje van bezorgdheid, bijna niets, maar het begin was er.

'Met handboeien om en zonder shirt. Ik heb de foto's al gemaakt. Mooier verjaardagscadeau kan je vrouw niet krijgen. Felicia heet ze toch?'

Rockne trok het mobieltje van zijn oor en wachtte tot de serie Spaanse vloeken voorbij was.

'Begrijp je de bedoeling?'

Luiz had nog een vloek in reserve en verbrak de verbinding.

Rockne stopte de telefoon in zijn broekzak. 'Sorry, zei hij tegen Cheryll. 'Ik wilde je niet aan het schrikken maken.' Hij stak zijn hand uit. 'Kom op. We gaan naar een feestje.'

Cheryll bewoog zich niet. Ze zat en ze keek naar Rockne. 'Wie ben jij eigenlijk?'

'Rockne.'

'Rocky hoe?'

'Rockne, niet Rocky, het ging iets anders bij de aangifte dan mijn moeder had bedoeld. Het werd Rockne. Laat mijn achternaam maar zitten, die geloof je helemaal niet.'

'Ben jij belangrijk?'

Daar moest Rockne over nadenken. Hij had geen idee, eigenlijk. Belangrijk voor wie? Voor zichzelf, dat wist hij. Voor Kelly misschien, niet heel erg, ze kon uitstekend zonder hem. Niet in het minst voor Harold, waarschijnlijk een beetje voor Jeff. Voor geen millimeter voor Margrit, en hij hoopte dat het zo zou blijven. Voor Faulk was hij belangrijk, omdat een middelman niets was zonder uitvoerders en Rockne was de beste. Voor zichzelf en voor Faulk. Het was geen slechte score.

'Voor sommige mensen,' zei hij. 'Voor Luiz als hij blijft klooien, en voor Val Connell, die maar beter geld in een envelop kan stoppen. Waarom wil je het weten?'

Ze aarzelde, bewoog haar lippen alsof ze aanzetjes gaf. 'Je leek zo...'

'Klein?'

Ze schudde haar hoofd.

'Onbetekenend?'

'Zoiets. Iemand met een doel, maar zonder een plan. Ik dacht: die doet maar wat, in de hoop dat hij geld krijgt. Dat maakte me bang.'

'En nu?'

Er verscheen een bleek lachje. 'Je zult me niet per ongeluk doodschieten, dat weet ik zeker. Wat doe je voor de kost?'

Huurmoordenaar. Klein, onbetekenend, onopvallend.

'Vertegenwoordiger. Accountmanager heet het officieel.'

Ze tuitte haar lippen, zei 'Nee' en stond op. 'Ik weet niet wat je wel bent, maar jij bent niet iemand die anderen iets probeert te verkopen. Mac MacDinges was een verkoper, met zijn zachte stem en zijn vriendelijke gezicht. Ik geloofde hem bijna.'

'Waarom niet helemaal?'

Ze rekte zich uit en bleef net zo lang staan tot Rockne had gekeken. 'Blond, lang, grote borsten, dus dom. Dat dacht Mac-

Dinges. Maar ik dacht: ik ga Luiz Vee een plezier doen. Deze man weet hoe hij certificaten van niks weet te verkopen. Luiz kan veel geld aan hem verdienen.'

'Waarna Luiz Reeves Cooper overgaf aan Val Connell.'

'Reeves Cooper.' Ze proefde de woorden. 'Klinkt beter dan Mac MacDough.' Ze keek snel naar Rockne. 'Wedden dat je dacht dat ik de naam niet meer wist omdat ik "MacDinges" zei? Ik weet meer dan je zou denken. Luiz weet dat al een paar jaar.' Haar gezicht verstrakte. 'Gaan we naar het feest?'

Rockne had een paar seconden nodig om zijn beeld van Cheryll bij te stellen. Een vriendinnetje van een maffiafiguur behoorde geen hersens te hebben, ze behoorde te stralen als dat nodig was, mooi te zijn, niet na te denken.

'Ik ga terug.'

'En ik?'

Rockne vroeg zich af of hij haar nodig had.

'Weet je hoe een boot in elkaar zit?'

Ze schoot in de lach. 'Wat denk je dat we drie keer in de week doen, Luiz en ik. Ik woon aan de kust. Dat is niet omdat ik een hekel heb aan de oceaan.'

'Luiz wekte net niet de indruk dat hij je zou missen.'

'Omdat hij wel een ander vindt?'

'Dat schoot door me heen. Misschien niet iemand die slim is, maar er zijn er meer die blond zijn en...' Hij liet de rest zitten toen ze knikte.

'Ik maak me geen illusies.'

'Als ik je meeneem en ik krijg last van je, dan heb je geen tijd meer voor illusies.'

Ze knikte opnieuw. 'Dat had ik al bedacht. Jij bent iets van plan en ik wil weten wat. Ik ben een nieuwsgierig meisje, weet je dat?'

En een lastpak. Rockne wist het, maar hij had opnieuw het gevoel dat hij had toen Cooper te veel werd: doodschieten was het verstandigst, maar hij kon het niet opbrengen.

Op het bruggetje hing nog steeds een barbecuelucht, maar de aard van het feest leek veranderd. Er waren lampen gericht op de boten en de jetski's en de mannen die in de buurt van de steiger liepen hadden allemaal een colbertje aan.

Cheryll zag het ook. 'Er is iets met de boten. Ze hebben allemaal een wapen bij zich, misschien wel twee.' Ze drukte haar neus tegen de ruit. 'Jij vroeg net iets over boten. Had je een plan dat de mist in is gegaan?'

Rockne dacht aan Reeves Cooper en glimlachte. Reeves had met Art Flaming gepraat. Hij had gesproken over Val Connell en over Luiz Vaca. Flaming had contact opgenomen met Vaca, die bewakers bij de boten had geplaatst. Het was gegaan zoals hij had verwacht; dat er nog steeds iets knaagde kon wachten. 'Ik heb een nieuw plan. Zie je Val Connell?'

'Mag het raampje omlaag?'

Rockne gaf geen antwoord.

'Nee dus. Ik heb toch gezegd dat ik niet zal schreeuwen.' Ze veegde over de ruit. 'De vrouw van Luiz wil geen blanken op haar verjaardag, dus op het terras zie je hem niet. Misschien bij het zwembad, waar de barbecue is.'

Rockne zag een gezicht dat bleker was dan dat van de andere gasten. 'Die lange?'

'Lang, mager, sproeten. Bruin wordt-ie nooit en dat vindt-ie niet leuk. Ik weet bijna zeker dat hij het is, daar achteraan. Als ik jou was, ging ik er niet naartoe om naar het geld te vragen.'

Rockne keek om zich heen. Hij had een man in uniform gezien die op de auto's lette. Drie parkeerwachters liepen bij de steiger, maar hij had geen idee hoeveel Luiz er in dienst had.

'Wat voor auto heeft Luiz?'

'Mercedes. M-klasse. Dat weet ik omdat hij het er altijd bij zegt. Ze hebben er allemaal zo een, Vee, Steve, Vincente. Val Connell ook. Het is een terreinwagen, dat vinden ze stoer. Omdat-ie in Alabama wordt gemaakt, is die auto net als zijzelf: buitenlands, maar toch een beetje Amerika.'

Rockne startte de Buick, keek naar Cheryll en zette de motor weer af. 'Hoe ver is het lopen naar het huis van Connell?'

'Geen twee minuten. Ik wed dat hij met de auto is, maar lopen gaat sneller.'

'Is hij getrouwd?'

'Zou-ie moeten doen, dat zou de verstandhouding met Vee verbeteren.' Ze klopte op de rug van haar hand. 'Hij is van dattem. Iedereen weet het, maar het wordt niet hardop gezegd.'

'Geen vriendje in huis?'

'Vlak bij Vee? Nooit. Ik snap nog steeds niet waarom hij niet verhuist. Ik denk dat Vee hem in de gaten wil houden, waarschijnlijk in opdracht van de grote baas.'

'Ricky Gendler?'

Ze rilde. 'Enge Ricky, met zijn dooie priemogen en zijn kale hoofd met dat haarstukje dat nooit helemaal rechtzit.'

'Je kent hem?'

'Van zien.' Ze rilde. 'Ik blijf het liefst zo ver mogelijk uit de buurt van dat varken.'

'Omdat hij de wind eronder heeft?'

'Je moet ze voor hem zien kruipen, Luiz, Vincent, iedereen.'

'Colombianen die kruipen voor een blanke baas. Je ziet het niet vaak.'

Ze keek hem aan of hij gek was. 'Blank? Zegt de naam Genaros je iets? Ricardo Genaros uit Cuba. Ricky Gendler. Val is de enige blanke van het hele stel. Ik snap niet dat ze hem...' Ze wuifde het weg. 'Laat maar. Gaan we naar Vals huis?'

'Straks,' zei Rockne. 'We wachten tot het vuurwerk begint.'

'En dan?' Ze zei het alsof ze onder stroom stond. Rockne voelde de spanning van haar afstralen. 'Gaan we dan Vee bellen om te zeggen waar Val Connell je dertigduizend dollar moet leggen?'

We? dacht Rockne.

'We gaan niet bellen, en jij zeker niet. We laten ze wachten en daarna ga ik ze afleiden.'

Het vuurwerk begon ruim voor middernacht. Een halfuur ervoor was al duidelijk dat de kracht van het verjaardagsfeest af was. De mannen op de steiger maakten gebaren naar elkaar van wat doen we hier eigenlijk, Felicia was bezig met het troosten van haar kinderen, Luiz liep rond als een veldheer die de slag heeft verloren en keek verbazend vaak op zijn horloge.

Rockne stelde zich voor dat het voor de feestgangers een opluchting was om de eerste knallen te horen, eindelijk, het begin van het einde.

De drie series pijlen waarmee het vuurwerk begon eindigden op de daken van de huizen aan de andere kant van het kanaal, maar nergens klonken opgewonden kreten. De knallen die volgden moesten van de mortieren zijn. De dochter van Luiz hield haar handen tegen haar oren en huilde, Felicia drukte haar tegen zich aan en zwaaide een vuist naar Luiz, de mannen keken alsof ze de geluiden zelf hadden geproduceerd.

Rockne tikte Cheryll tegen een schouder. 'Opletten, en luisteren. Als ik zeg: "Meekomen", dan kom je mee. Zonder vragen. Oké?'

Ze hief haar polsen. 'Mogen deze af?'

Rockne startte de auto, zette de pook in *drive* en trok langzaam op. 'Niet gillen. Niet bewegen. Voor het huis is minstens een parkeerwacht, ik wil niet dat-ie alarm slaat.'

Hij reed de Buick langs de geparkeerde auto's en wees naar het rijtje Mercedessen dat op de beste plaatsen stond, vlak voor het bordes, keurig op een rij. 'Zijn die van de Vaca's?'

'De zwarte wel. De rode is van Connell, ik wist wel dat hij niet zou komen lopen.'

Rockne gaf gas en mikte op de ruimte tussen de auto van Connell en de zwarte Mercedes ernaast. De neus van de Buick duwde beide auto's zijwaarts en boorde zich in de flanken. Cheryll gilde, Rockne pakte zijn pistool en keek om zich heen.

De parkeerwachter kwam van achteren en struikelde bijna in zijn haast om bij de Buick te komen. Zijn ogen waren groot toen hij met een ring tegen de ruit klopte en zijn mond hing open. 'Wat denk je verdomme dat je aan het doen bent, broer?'

Rockne liet de ruit zakken en zei: 'Botsen.'

De man boog zich naar binnen. Zijn hoofd was rood en zweet droop van zijn neus. Op de achtergrond klonken de knallen van siervuurwerk dat kleurrijke banen langs de hemel trok.

'Weet je van wie die auto's zijn?'

Rockne drukte de Vector tegen de borst van de parkeerwacht. 'Ben je de enige hier of lopen er collega's van je rond?'

De man keek scheel naar het pistool en slikte moeilijk. 'Enige,' zei hij. 'Alleen. Iedereen is... daar.' Hij zwaaide met een arm en deed een stap achteruit.

Rockne greep zijn overhemd vast. 'Enige?' Hij liet de loop van het pistool zakken en drukte af toen hij een serie knallen hoorde. 'Nu zijn we alleen,' zei hij tegen Cheryll. 'Uitstappen en tien passen achteruitlopen.'

Ze hapte naar adem. 'Wat...'

'Tien,' snauwde Rockne. Hij duwde het lichaam van de parkeerwachter weg en stapte uit.

Cheryll bleef praten. Allemaal losse woorden, allemaal in één adem. Pas toen Rockne de Vector naar haar zwaaide liep ze achteruit, beide handen tegen haar keel, gebogen alsof ze zich zo klein mogelijk probeerde te maken.

Rockne opende de kofferbak en haalde er de lappen met pindakaas uit. Hij scheurde ze aan repen en duwde er een stel in de benzinetank, een voor een, alsof hij alle tijd had. Af en toe keek hij naar Cheryll, die op de grond was gaan zitten, met één oor luisterend naar de geluiden bij het huis. Niemand scheen de aanrijding te hebben gehoord, een tweede parkeerwachter verscheen niet.

Toen Rockne voldoende doordrenkte lappen had, sleepte hij de dode parkeerwacht naar de achterkant van de Buick. Hij hijgde toen hij het lichaam in de kofferbak had en stond een paar seconden stil om zijn voorhoofd droog te wrijven en om zich heen te kijken. Een nieuwe serie pijlen ging de lucht in toen hij twee lappen op de parkeerwachter legde. Een kruitlucht drong zijn neusgaten binnen. Hij snoof terwijl hij de lappen die over waren op de Mercedessen gooide, lekker, die kruitlucht.

'Kom maar,' zei hij, terwijl hij Cheryll wenkte. 'Als het brandt, gaan we ervandoor.'

Ze keek hem aan met een radeloze blik en draaide haar hoofd links en rechts. 'Hoe? Waarheen? Lopen? Wij?'

Rockne streek een lucifer aan en stak de lappen in brand. 'Naar het huis van Connell,' zei hij. 'Ik hoop dat je niet loog toen je zei dat het vlakbij is.'

Het huis van Connell zag er vrijwel net zo uit als dat van Luiz Vaca, drie verdiepingen, witgeschilderd, rode pannen, torentje links en rechts van de dubbele voordeur, een bordes omzoomd door liguster en bougainvillea. Voor de raampjes in de deuren zaten tralies, voor de ramen luiken.

Rockne trok Cheryll mee het bordes op en vroeg zich af wat er met haar aan de hand was. Ze giechelde voortdurend en hing bijna aan hem, beide handen aan weerskanten van zijn schouder, hij voelde de metalen band van de handboeien drukken. Toen hij haar had afgeschud en zag dat ze voor de deur in elkaar zakte, drong tot hem door dat ze een shock had. Hij tilde haar op en legde haar achter een struik. Terwijl ze zich opkrulde bleef ze giechelen, zacht en zonder ophouden.

'Stil,' zei hij.

Ze bleef geluiden maken, zacht maar onophoudelijk, terwijl tranen over haar wangen liepen. De combinatie maakte Rockne onzeker en daarom richtte hij zijn aandacht op iets anders. De gloed bij het huis van Vaca was minder geworden en het geschreeuw dat hij had gehoord toen de brand was ontdekt, was afgenomen. Hij hoorde geen sirenes en verwachtte die ook niet.

De gebroeders Vaca zouden hun zaken zelf regelen. Ze zouden de Mercedessen die waren beschadigd laten wegslepen en ze zouden het lichaam van de parkeerwachter ergens naartoe laten brengen. Rockne gokte op de Everglades, of Lake Okeechobee. Over een paar uur zou het lijk zijn verdwenen en niemand zou het ooit vinden, het maakte niet uit of Cheryll zou vertellen wat er voor het huis van Luiz was gebeurd. Voorlopig was het van belang dat ze zich stilhield en dat Val Connell zou doen wat Rockne van hem verwachtte: na het zien van zijn auto als de bliksem naar huis hollen om zijn revolver te halen, of zijn eigendommen te bewaken, of te doen of hij nooit op het feest was geweest. Het maakte niet uit wat zijn motieven waren, als hij maar naar zijn huis ging. Rockne verwachtte hem binnen een kwartier, hijgend en opgewonden.

Het duurde drie minuten, niet lang genoeg om Cheryll stil te krijgen, maar dat bleek niet nodig. Connell had hard gelopen, en toen hij voor zijn deur stond boog hij zich voorover tot hij met zijn handen op zijn knieën kon steunen en hijgde hij alsof hij een groot gebrek aan lucht had. Rockne hoefde niets anders te doen dan achter de heg vandaan te stappen, twee passen te zetten en de Vector in Connells rechteroksel te duwen.

'Doe de deur maar open,' zei hij.

Connell keek opzij, maakte een gebaar naar zijn oksel en legde zijn vrije hand plat tegen de deur. 'Geen adem,' hijgde hij.

Rockne wachtte geduldig tot Connell was uitgehijgd. 'Deur open, alarm af en doen wat ik zeg.'

'Of?'

Rockne drukte met het pistool tot hij Connell lucht tussen zijn tanden door hoorde zuigen. 'Deur open, alarm af.'

'En nu?' vroeg Connell toen ze binnen stonden. 'Wat nou?'

'Naar buiten,' zei Rockne.

Hij zag de ogen van Connell dof worden en wist wat de man dacht. 'Niet dat. Buiten ligt de vriendin van Luiz. Ze moet naar binnen.'

Cheryll lag in elkaar gekrompen en giechelde nog steeds.

'Ze heeft een shock. Pak haar op en breng haar naar binnen. Als je roept, schiet ik door je ruggengraat.'

Connell hijgde opnieuw toen hij Cheryll naar binnen had gedragen, maar Rockne dacht niet dat het door de inspanning kwam. Op een of andere manier was Cheryll haar beha kwijtgeraakt en Rockne kreeg de indruk dat Connell dat niet oninteressant vond. Als de man homo was, dan was hij er een met een brede belangstelling.

'Doe je shirt uit en trek het over haar hoofd. We hebben zaken te doen.'

Hij wachtte tot Cheryll het shirt aanhad en gooide het tweede paar handboeien naar Connell. 'Doe ze maar om.'

Ik moet handboeien in mijn standaardpakket opnemen, dacht hij terwijl hij naar Connell keek, nooit geweten dat je er zoveel plezier van kon hebben.

Hij trok Cheryll naar zich toe en wees naar Connell. 'Jij weet waar de keuken is. Als je geen eten in huis hebt, dan heb je een probleem. Hetzelfde geldt voor koffie.'

'Geld,' zei Rockne. Hij had twee sandwiches met ham en kaas gegeten, hij had drie koppen koffie gedronken en hij had de inrichting bekeken. De keuken was even groot als het huis waarin hij was geboren en het bevatte meer glazen voorwerpen dan hij ooit in zijn leven had gezien. Een glazen schouw met glazen ornamenten, glazen servies, glazen kasten met glazen voorwerpen, glas-in-loodschilderijen in glazen lijsten, beelden uitgevoerd in glas in elke vrije hoek, lampen op glazen staanders, aan het plafond een kroonluchter van gekleurd glas die er in Rocknes ogen uitzag alsof er zo snel mogelijk een kogel door moest.

Connell reageerde niet op het woord 'geld'.

Rockne trok Cheryll mee naar de deur en joeg een kogel door de kroonluchter. Connell kromp in elkaar onder de regen van glas en kreunde toen scherven in zijn blote bovenlichaam drongen.

'Geld,' herhaalde Rockne. 'Iets meer dan daarnet. Elke keer dat ik het moet zeggen komt er vijfduizend bij. Je zit nu op vijfendertigduizend dollar.'

Naast hem giechelde Cheryll, op de stoel vrijwel in het midden van de keuken zat een grommende en jammerende Val Connell.

'Geld,' zei Rockne. 'Je had het mee moeten nemen naar Luiz. Dat was de opdracht.'

Connell pulkte aan een stukje glas in zijn schouder. 'Ik heb geen...'

Rockne raakte het glazen beeld van een man die in gebogen houding zat, elleboog op een knie, vuist onder de kin. Het beeld had Rockne aan iets doen denken, maar hij wist niet aan wat. 'Dat maakt veertigduizend. Als je glas in je woonkamer hebt, gaan we daar verder.'

Cheryll liep al voor hij er opdracht toe gaf. Ze giechelde nog steeds, maar ze had een beetje kleur op de wangen. Door de manier waarop ze door het huis liep kreeg Rockne de indruk dat ze de indeling kende. Ze was hier eerder geweest, of ze kende het huis van Luiz en wist dat de indeling niet verschilde.

In het midden van de woonkamer stond iets wat Rockne deed denken aan een ijssculptuur, een enorme dolfijn met zijn bek naar boven, water spuwend dat terugviel in een glazen bak met een doorsnee van meer dan een meter.

Rockne schoot het aan stukken voor hij Cheryll op een glazen bank drukte waarop kussens van doorzichtig plastic lagen. Connell was in de deuropening blijven staan, peuterend aan stukjes glas en met een blik in zijn ogen die verbijstering uitdrukte.

'Ik ben begonnen met dertien kogels,' zei Rockne. 'Gok er niet op dat ik de tel kwijtraak. Op hoeveel zitten we nu? Vijfenveertigduizend?'

'Veertig,' zei Connell met een stem die niet helder door wilde komen.

Rockne knikte. Eerlijk was eerlijk. 'Pak het maar gauw.' Hij keek naar Cheryll. 'Al genoeg bij de tijd om te vertellen waar zijn kluis is?'

Cheryll schudde haar hoofd en Rockne drong niet aan.

'Dan jij maar,' zei hij tegen Connell. 'Rechtstreeks naar de kluis. Veertigduizend is voldoende als je opschiet.'

Connell bewoog een arm en vertrok zijn gezicht. 'Denk je dat je hiermee wegkomt?'

Rockne schoot op een schilderij van drie bij twee meter. 'Ik denk het, Ricky Gendler weet het, en een man in Philadelphia weet het ook. We zitten nu wel op vijfenveertigduizend. Als je verder je bek houdt, rond ik het af op een halve ton. Dat is de dertigduizend van mijn vrouw plus de rente voor vier termijnen van drie maanden.'

Connell opende zijn mond, sloot hem en wees naar een deur. 'Daar.'

'Schiet maar op,' zei Rockne. 'Misschien blijft die wandkast met glazen huisjes dan heel.'

De mobiele telefoon van Val Connell was drie keer overgegaan voor Rockne het geld had geteld en weggestopt. Hij keek naar het display en vroeg: 'Is dat Luiz?'

Connell knikte. Hij keek als een man die in de verkeerde wereld was beland en geen idee had hoe dat was gebeurd.

Rockne drukte een knop in. 'Dag, Vee.'

'Connell?'

'Leeft en heeft betaald. Zeg maar tegen Gendler dat ik bereid ben de zaak verder te vergeten.'

Luiz klonk buiten adem toen hij zei: 'Vergeten? Jij?'

'Connell had geen geld bij zich op dat feest van jou, en ik had je gezegd dat hij het mee moest nemen. Jongens als jij leren moeilijk. Ik ga nu weg. Als je me probeert tegen te houden, heb je straks een dode Connell.'

'Hoe is het met...'

'Voelt zich niet lekker, maar zit over een paar uur in haar appartement.' Hij zag de ogen van Cheryll oplichten, het was de eerste keer dat ze op een opmerking reageerde. 'Tenzij jij weer aan het klooien slaat en onze auto tegenhoudt.'

'Welke auto?'

'Heeft Connell er maar één? Dan wordt het lopen. Schiet niet op de mensen met handboeien, dat doe ik wel.'

'Lopen?' Cheryll mimede het woord meer dan dat ze het uitsprak.

'We gaan met de boot,' zei Rockne. 'Waarom dacht je anders dat ik je nodig had? Connell vaart, jij kijkt toe. Als hij verkeerd uitkomt, kun je naar je appartement kijken terwijl je langsdrijft.'

10

'Het zou een stuk eenvoudiger zijn geweest als jij je nergens mee had bemoeid,' zei Rockne.

Henry Faulk wiegde heen en weer zonder iets te zeggen. Achter Rocknes rug schraapte Moto zijn keel.

'Zeg dat hij weg moet,' zei Rockne. 'Meteen. De kamer uit. Ik heb iets met jou te bepraten, niet met hem.'

'Ik weet overal van,' zei Moto. 'Hij heeft veel last van zijn tong vandaag. Als het moet, praat ik.'

'Opgedonderd.'

Moto veegde met de zijkant van een hand langs de deurpost. Het klonk alsof iemand hout schuurde. 'Wie breng je ervoor mee?' Zijn stem klonk laag en onheilspellend.

Rockne keek niet om. 'Henry, óf je stuurt hem weg, óf je moet voor het einde van de week Doris bellen om te zeggen dat Moto weer buiten werking is.'

Moto vloekte binnensmonds en Rockne hoorde hem dichterbij komen. Hij trok met een ruk de vioolsnaar uit de zoom van zijn broekspijp en zwaaide ermee rond. 'Hoor je het, Henry? Dit is een snaar. Fouilleren is niet Moto's sterkste punt. En dan heb ik het niet over het pistool dat tegen mijn ballen tikt als ik loop.'

Moto kwam tot stilstand, Faulk sloeg hard met een hand op het bureaublad. 'Ssstil. Russtig, allebei. Moto. Weg.'

Moto bewoog zich niet.

'Weg.'

Moto liep achteruit, voetje voor voetje. 'Zeker weten?' vroeg hij toen hij bij de deur stond.

Faulk zei niets en Moto trok de deur dicht, hard.

'Pisstool?' vroeg Faulk.

'Je zou geen personeel moeten hebben dat aan zichzelf twijfelt. Denk je dat ik met een pistool in mijn kruis ga lopen? Hoe zit het met die bemoeienissen van je?'

Faulk nam de tijd voor het antwoord. Hij ging weer rechtop zitten en bewoog zijn bovenlichaam of hij naar muziek luisterde, links, rechts, ritmisch.

Mantovani, dacht Rockne, allemaal violen.

'Hoe denk je dat het zit?' vroeg Faulk na een paar minuten.

'Ik denk dat je handjeklap aan het spelen was met de gebroeders Vaca.'

Faulk zat een moment stil, maakte bijna een beweging met het hoofd, verstarde en ging door met wiegen.

'Ik kom er wel op terug,' zei Rockne. 'Eerst het kleine werk. Om Kelly rustig te houden, heb ik voor we naar Key Largo gingen tegen haar gezegd dat we hulp zouden krijgen van iemand van de Fertilizer Company. Ik bedoelde het anders dan Kelly het begreep, maar ik denk dat ze er met Doris over praatte en dat jij erdoor op een idee kwam en Art Flaming stuurde, of liet sturen.'

Hij wachtte om te zien of Faulk nu wel zou reageren, maar keek naar een standbeeld.

'Ik heb een keer met Doris gebeld. Ze wist in welk motel we zaten en dat er een camping vlakbij was. Dat kan Kelly haar hebben verteld. Maar ze wist ook dat ik hard aan een eigen auto toe was. Zoiets zou Kelly nooit zeggen. Ik denk dat Flaming met regelmaat verslag uitbracht.'

Geen reactie.

'Het duurde lang voor ik doorhad dat Flaming niet toevallig in dat motel op Key Largo in de kamer naast ons zat. Hij had een vrouw bij zich en drie kinderen, die hem niet één keer "pappie" noemden. Hij was er alleen niet om me te helpen. Hij was er om me in de gaten te houden.'

'Helpen?' Faulk maakte er een vraag van, maar Rockne zag het als het eerste teken van medewerking.

'Niks helpen. Flaming was geen hulpje en hij was evenmin een oppas, hij was de man die de show aan de gang moest houden. Hij zorgde ervoor dat ik achter het adres van Mel Cooper en Gene Davies kwam, ze woonden in twee oude caravans in Tavernier. Hij was degene die Mel vermoordde. Hij leverde half werk, want hij liet Gene Davies in leven, maar gelukkig was daar Rockne Paradise, de man die jullie achter de hand hadden voor als hij nodig was. Ik kon hem niet los laten lopen, nadat ik Mel Cooper dood had gevonden. Ik snap niet waarom Flaming hem liet gaan, maar misschien was Davies net even weg. Ik denk dat hij in de buurt bleef om Davies op te wachten, maar dat hij de tijd niet had om zijn werk af te maken omdat hij mij zag of hoorde. Ik vroeg Flaming of hij de lijken kon wegwerken. Dat kon hij. Voor zover ik weet heeft de politie nog steeds geen idee van een dubbele moord op Key Largo, dus het is grondig gebeurd. Het was een knap staaltje organisatie. Van jou?'

Faulk gaf geen krimp.

'Doe of je nergens van weet. Vraag waarom Mel en Gene dood moesten.'

Faulk trok zijn wenkbrauwen op tot boven zijn donkere bril.

'Omdat Reeves Cooper voor ze zorgde. Hij was een oplichter, maar hij deed zijn best voor de mensen die met hem hadden samengewerkt. Hij deed de was voor Malcolm en waarschijnlijk ook voor Davies. Hij hield de caravans een beetje schoon. Zonder Reeves hadden ze niemand. Ze vormden een risico, zeker als Reeves niet meer voor ze kon zorgen. Het stond vast dat Reeves dat binnen korte tijd niet meer zou kunnen. Hij mocht zijn gang gaan tot hij een fout zou maken, en certificaten aan Kelly verkopen was beslist een fout. Ik denk dat hij naast een paar alligators in de Everglades ligt. Niemand had hem meer nodig. Er zijn genoeg mannen met zachte stem en een glimlach die certificaten van goudmijnen kunnen verkopen.'

'Dusss?'

Dat was het punt. Dus. Het probleem was dat Rockne geen dus zag.

'Dus niks. Alles wat op Key Largo is gebeurd, hadden jongens van Steve Vaca kunnen doen, daar was ik niet voor nodig.'

'Jij vermoordde Gggene Davies.'

'Na een slordigheid van Flaming. Het was niet iets waarvoor jij iemand als ik naar Key Largo zou sturen, en ook niets iets waarom de Vaca's of Gendler mij op de Keys zouden willen hebben. Er is meer en het wordt verdomme tijd dat je Mantovani afzet en vertelt over de afspraak die jij hebt gemaakt met een van de broers Vaca.' Rockne zag een kleine hoofdbeweging. 'Of was het toch Gendler?'

Faulk haakte een vinger achter zijn boordje alsof zijn overhemd te klein was. 'Ggegendler.'

'De grote baas, ik had het kunnen weten, jij bent niet iemand die zakendoet met voetvolk. Vertel maar hoe het zit. Neem er de tijd voor.'

Na een kwartier zei Faulk: 'Ggendler had opdracht.'

'Had die te maken met een van de broertjes Vaca?'

Faulk schudde van nee. 'Cconnell.'

'Omdat?'

'Ccooper woont op de Keys. Sssteve Vaca is daar de baas. Ccooper werkte voor Cconnell. Sssnap je.'

Rockne leunde achterover. Hij snapte het, nog niet helemaal, maar het scheelde weinig. 'Reeves Cooper was zo handig om certificaten van een mijn aan te bieden aan de vriendin van Luiz Vaca. Luiz haakte een vinger in Coopers neus en rekte die wat op. Vanaf die dag werkte Cooper voor Connell, die vlakbij Luiz woont, en niet voor broer Steve, die de baas is op de Keys. Ik heb me afgevraagd waarom Luiz Cooper niet meteen doorgaf aan zijn broer. Omdat Steve niets met certificaten te maken wilde hebben?'

Faulk maakt een afwerende beweging. 'Besslissing van Ggeggendler. Had te maken met die meid.'

Rockne trok zijn broek los van de stoelzitting. Hij zag Cheryll voor zich, half in shock maar feilloos haar weg vindend in het huis van Connell. 'Volgens mij had Connell het met Cheryll aangelegd. Dat is niet slim in dat wereldje. Ze was van Luiz Vaca. En ook van Gendler, misschien?' Ze had gezegd dat Connell een homo was en Gendler een varken. Hij had haar geloofd, maar geloof een vrouw als Cheryll maar eens níét als ze halfnaakt voor je staat en je recht aankijkt.

Faulk haalde zijn schouders op, maar zei niets.

'De Vaca's werden wel ergens zo pissig omdat ze Connell uit de weg wilden hebben.'

'Bessliss... shit, beslisssing kwam van Gendler.'

'Rockne wist dat Faulk nooit zou toegeven dat Gendler Connell niet in de buurt van Cheryll wilde. Hij had me toch gewoon kunnen huren? "Rockne, wil je even naar Fort Lauderdale voor een klusje?" Wat is daar gek aan?'

Heel wat. Hij zag het aan het gezicht van Faulk, waarop trekken van diepe voldoening verschenen.

Dit keer was het Rockne die het eerst sprak. 'Je wilt toch niet beweren dat de hele toestand is opgezet om me voor niets een klus te laten klaren?'

Faulk stak tien vingers op.

'Tienduizend dollar?' Rockne geloofde zijn eigen woorden niet. 'Had Gendler niet meer dan tienduizend voor Connell over?'

'Minder dan dertig. Gendler geeft geen geld terug. Sssnap je.'

Rockne begreep precies hoe het zat. Je geeft geen geld terug als je een grote organisatie leidt, dat maakt een slechte indruk op je werknemers. Als Gendler had beslist dat Rockne zijn dertigduizend dollar niet zou krijgen, dan zou niemand het hem geven. Niet vrijwillig. Connell had lang tegengestribbeld en Rockne had drie vingers moeten breken voor de lange man zijn kluis opende. Cheryll had erbij staan huilen, dikke tranen, maar zonder geluid te maken.

'Ik mocht mijn geld niet terugkrijgen, maar Ricky Gendler kon me ook niet met lege handen laten vertrekken. Ik denk dat jij daarop hebt gewezen.'

Faulk knikte. 'Met nadruk.'

'Ik mocht wel een deel van het geld hebben, maar ik moest er iets voor doen. Is dat het?'

Faulk zat weer roerloos.

'Als ik het geweten had, dan had Gene Davies nu nog geleefd. Dan waren niet alleen de auto's van de Vaca-broers uitgebrand, maar ook hun boten. En hun huizen.'

Faulk glimlachte alsof hij het voor zich zag. 'Maar je wissst het niet.'

'Dus bleef het bij een handjevol doden, een paar uitgebrande auto's en wat gesneuveld glaswerk. Bij elkaar is dat heel wat meer dan dertigduizend dollar.'

'Niet vvoor Gendler.'

En ook niet voor de Vaca's. Ze zouden de verzekering hebben gebeld en nieuwe auto's hebben besteld. Van een paar doden zouden ze niet slecht slapen.

'Hoe gaat het verder met de vriendin van Luiz Vee?'

Faulk haalde zijn schouders op. Hij liet een hand over het bureaublad glijden en pakte een envelop. 'Ttien. Geld voor Cconnell.'

'Een derde van wat ik hebben wilde.'

'Wat gaf Cconnell je?'

Rockne stond op, schudde zijn broek los van zijn billen en liep naar Faulk. 'Connell gaf me vijftigduizend.'

'Ggoed verdiend.'

'Met de tien van Gendler hou ik wat over aan Kelly's goudmijn.'

'Voor je nieuwe huis?'

Rockne stopte de envelop in zijn zak. Een deel ging naar de Bahama's, dat was zeker.

Hij grijnsde toen hij zijn handen op het bureau plaatste en

naar voren boog, zijn gezicht een decimeter van dat van Faulk. Het was jammer dat ze elkaar niet in de ogen konden kijken, net nu het mooiste kwam. 'Jullie gokten erop dat ik zou afrekenen met Connell, Gendler en jij. Ik denk dat jullie er zeker van waren. Ik denk ook dat jij het opzetje hebt bedacht.'

Faulk verroerde zich niet.

'Je wist dat ik door zou gaan tot ik Kelly's dertigduizend terug had en je wist dat Gendler me het geld niet vrijwillig zou geven. Gendler wist dat hij met zijn vingers van me af moest blijven, omdat jij op de achtergrond meespeelde. Het was een soort patstelling, maar jij bedacht een oplossing. Je zei tegen Gendler: "Stuur maar iemand naar Key Largo die Rockne een beetje opport en hem een beetje bijstuurt als het nodig is, dan regelt de zaak zich vanzelf. Op den duur komt hij bij Connell en dat is precies wat we willen."' Rockne haalde diep adem. 'Ik heb nieuws voor je.'

Faulk schoof een stukje achteruit. Hij ademde bijna synchroon met Rockne.

'Ik zal je wat vertellen,' zei Rockne. 'Toen ik het geld had, zei ik tegen Cheryll en Connell: "Vaar me naar de kust." Dat deden ze, je had ze eens moeten zien samenwerken. Vlak bij een taxistandplaats ben ik aan wal gestapt. Ik heb gezegd dat ze zelf maar moesten zien wat ze deden. Dat ik geen opdracht had om ze aan te pakken. Ik geloof zelfs dat ik ze geluk heb gewenst.' Hij zette zich af van het bureau en liep naar de deur. 'Ik hoop dat Gendler er achter komt dat Connell nog leeft en dat hij bij jou verhaal gaat halen. Ik wou dat ik erbij kon zijn.'

Rockne was al over de drempel toen Faulk reageerde. 'Sshit,' zei hij. 'Ssshittt.'

Rockne wreef met zijn duim over de envelop. 'Die tienduizend dollar moet Gendler maar zien als betaling voor Gene Davies. Als hij van Val Connell af wil, kun je zeggen dat ik de klus aanneem voor twee keer dertigduizend plus onkosten.'

Faulk zei iets, maar Rockne luisterde niet. Hij liep zonder

een woord te zeggen langs Moto naar buiten en haalde het geld pas uit de envelop toen hij vlak bij zijn nieuwe huis was. Kelly zou kwaad zijn omdat hij niets had laten horen, maar als hij haar dertigduizend dollar gaf van het geld dat uit Connells kluis kwam, plus het extraatje van Faulk, dan zou ze bijtrekken. Waarschijnlijk zou ze hem een zoen geven en hem meevoeren naar het raam.

Hij kon haar stem horen. 'Mooi hè, Rock, dat water van Chesapeake Bay. Ik hoop dat Margrit er net zo van gaat houden als ik.'

Maak ook kennis met de roman
De Charlsville Jackpot
van Peter de Zwaan

Lever deze kortingsbon in bij uw boekhandel

Titel: *De Charlsville Jackpot*
Auteur: Peter de Zwaan
ISBN: 978 90 234 2914 2
Verkoopprijs: € 18,50
Actieprijs: € 16,50
Actieperiode: 21/04/2008 t/m 20/07/2008
Actienummer: 901-51521

€ 2,-
korting

Voor Vlaanderen,
VBB-actienummer 2443/1-08-28

WB: DE CHARLESVILLE JA

98 26072 20200 2